DU MÊME AUTEUR

Dans la même collection :

L'ÉDITION ORIGINALE DE CE ROMAN,
RÉDIGÉE AVEC LA COLLABORATION DE ROBERT ARTHUR,
A PARU EN LANGUE ANGLAISE, CHEZ RANDOM HOUSE, INC.,
SOUS LE TITRE :
THE MYSTERY OF THE KIDNAPPED WHALE

Hachette, 79, boulevard Saint-Germain, Paris VIe

Vous avez le bonjour d'Alfred Hitchcock

Bonjour. C'est Alfred Hitchcock qui vous parle.

L'histoire que vous allez lire — enfin, j'espère que vous allez la lire — n'a aucun rapport (ou presque aucun) avec moi.

Elle concerne quelques-uns de mes amis : les Trois jeunes détectives, pour leur donner le nom qu'ils se donnent eux-mêmes. Le mieux est donc de commencer par les présenter.

Les Trois jeunes détectives habitent Rocky, une petite ville située en Californie du Sud, sur le Pacifique, non loin de Hollywood.

Le chef du groupe s'appelle Hannibal Jones. Il est de taille médiocre et craint de passer pour un gros plein de soupe. Si l'on veut être malveillant, on peut en effet le traiter de bedonnant ; peut-être même de ventripotent. Il a une intelligence aiguë, le sens de la déduction et il s'obstine à percer toutes les énigmes qu'il rencontre. En outre, il est beaucoup plus sûr de lui que je ne l'étais de moi à son âge. Certains trouvent même qu'il l'est un peu trop ; mais moi, j'aime bien Babal, et je me contenterai de dire qu'il est souvent persuadé d'avoir raison... et que la plupart du temps, c'est vrai.

Peter Crentch, le détective adjoint, est le plus athlétique des trois. Il aime le base-ball, le basket et la natation — et la forme physique dans laquelle il se maintient lui donne un solide appétit. Il participe avec plaisir aux enquêtes des Trois jeunes détectives, mais, à la différence de Babal, il évite de se mettre dans des situations dangereuses.

Bob Andy s'occupe des archives et des recherches. Il est intelligent, appliqué, et c'est aussi un reporter-né. Il a toujours un carnet sur lui et il y inscrit tout ce que les Détectives détectent.

Maintenant que je vous ai présenté les garçons, je vais vous laisser découvrir tout seuls comment ils ont résolu le mystère de la baleine emballée.

J'espère que vous aurez plaisir à le lire et que vous le ferez sans difficulté.

D'abord, on peut lire couché!

Et puis, comme le dit le roi de cœur dans *Alice au Pays des Merveilles*, tout ce qu'on a à faire c'est de commencer par le commencement, de continuer par la suite, d'aller jusqu'au bout et de s'arrêter.

Chapitre 1

Un sauvetage

« Regardez, elle crache ! cria Bob Andy au comble de l'excitation. Là-bas ! Vous voyez ? »

Il pointait l'index vers l'océan.

Il ne se trompait pas : à quelques kilomètres de la côte, une grosse silhouette oblongue venait d'apparaître. Du milieu de son dos, une fontaine jaillit, répandant de la vapeur dans toutes les directions. Puis, la grosse baleine grise plongea de nouveau.

Les Trois jeunes détectives — Hannibal Jones, Peter Crentch et Bob Andy — se tenaient sur la falaise qui dominait la plage. C'était le premier jour des vacances de printemps. Ils s'étaient levés tôt ce matin-là et étaient venus au bord de la mer à bicyclette, dans l'espoir de voir passer les baleines grises.

Chaque année, en février et en mars, des milliers de ces mammifères gigantesques quittent les parages de l'Alaska pour rejoindre le Mexique. C'est là, dans les lagons ensoleillés situés au sud de la péninsule mexicaine qu'on appelle California Baja, que les mères baleines donnent le jour à leurs petits.

Puis, après avoir pris quelques semaines de repos et réparé leurs forces, les baleines se remettent en route pour un voyage de quelque huit mille kilomètres vers le nord. Elles passent l'été à se nourrir de crevettes minuscules et de plancton dans les eaux de l'océan Arctique.

« Personne ne sait exactement comment elles remontent vers le nord », dit Bob.

Bob Andy travaillait à temps partiel à la bibliothèque de Rocky, la petite ville où habitaient les Trois jeunes détectives sur la côte du Pacifique. Il avait passé sa journée de la veille à lire des livres sur les baleines.

« Pourquoi ça ? demanda Peter.

— Parce qu'on n'est pas arrivé à les suivre, expliqua Bob en jetant un coup d'œil à son carnet. Quand elles descendent vers le sud, elles restent groupées et on les voit facilement. Au retour, non. Il y a des gens qui pensent qu'elles se séparent par couples et remontent au large des côtes.

— C'est probable, reconnut Peter. De cette manière, elles sont plus difficiles à repérer. Qu'en penses-tu, Babal ? »

Le détective en chef, Hannibal Jones, ne l'écoutait pas. Il ne regardait même pas l'océan, où une autre baleine grise venait d'apparaître pour cracher en l'air sa colonne de vapeur. Ce qu'il regardait, c'était la crique déserte au pied de la falaise. La semaine passée, il y avait eu une forte tempête, et la plage était jonchée de bois, de plastique et de montagnes de varech apportées par les vagues.

« Il y a quelque chose qui bouge, dit Hannibal d'un ton soucieux. Allons voir de plus près. »

Trottinant sur ses courtes jambes, il commença à descendre en biais vers la crique. Peter et Bob le suivirent.

La marée basse était à mi-chemin. Les trois garçons coururent vers le bord de l'eau pendant quelques minutes, jusqu'au moment où Hannibal s'arrêta, à bout de souffle. Il désignait un objet qui se trouvait dans l'eau, à quelques mètres de distance.

« C'est une baleine! s'écria Peter.

— La baleine échouée, acquiesça Hannibal. Ou plus exactement une future baleine échouée... A moins que nous ne l'aidions à se remettre à flot. »

En hâte, les trois détectives enlevèrent leurs chaussures et leurs chaussettes, qu'ils laissèrent sur le sable. Puis, remontant leurs pantalons, ils s'avancèrent dans la mer.

La baleine était toute petite : elle faisait à peine plus de trois mètres de long. Bob supposa que ce devait être un bébé, qui avait été séparé de sa mère et poussé jusqu'au rivage par de grosses vagues.

La pente de la plage était si douce que lorsque les trois garçons eurent atteint l'animal qui se débattait, ils avaient à peine de l'eau jusqu'aux chevilles : une chance pour eux, car la matinée était fraîche, et l'océan glacé. Mais ce n'en était pas une pour la baleine, que le manque de profondeur de l'eau empêchait de reprendre la mer.

Les détectives commencèrent à pousser et à tirer. Ils essayèrent même de soulever la baleine, mais elle était étonnamment lourde pour sa taille — Hannibal évalua son poids à une tonne — et sa peau, très épaisse, était glissante comme de la glace. En fait de prises, il n'y avait que la queue et les nageoires, et les garçons craignaient de blesser le bébé baleine s'ils tiraient trop fort dessus.

En tout cas, la bête ne paraissait pas avoir peur d'eux. Elle semblait même comprendre qu'ils essayaient de l'aider. Elle les regardait d'un air amical et encourageant, tandis qu'ils s'efforçaient de la pousser sur le fond sablonneux pour la remettre à flot.

Comme Bob se penchait pour essayer d'enlacer la baleine avec ses bras, il remarqua quelque chose de curieux dans l'évent situé au sommet de la tête. Se rappelant ce qu'il avait lu à la bibliothèque à propos des baleines grises, il comprit qu'il se trompait peut-être en prenant celle-ci pour un bébé séparé de sa mère.

Il allait annoncer sa découverte à Peter et Babal, lorsqu'une vague plus grosse que les autres se brisa à quelques mètres d'eux. Les trois garçons furent culbutés. Quand ils furent de nouveau sur leurs pieds, l'eau s'était retirée : elle couvrait à peine leurs orteils, et la petite baleine, repoussée vers la terre, gisait à sec sur le sable.

« Mince ! s'écria Peter. Elle est échouée pour de bon, maintenant. Et la marée descend toujours. »

Bob inclina la tête d'un air sinistre :

« Il faut attendre plus de six heures avant que l'eau ne soit de nouveau assez haute pour remettre la baleine à flot.

— Une baleine peut-elle vivre aussi longtemps hors de l'eau ? demanda Peter.

— Je ne crois pas. Elles se déshydratent très vite. Leur peau se dessèche. »

Bob se pencha pour caresser doucement la tête ronde de la baleine. Il se sentait si triste pour elle.

« A moins que nous ne trouvions un moyen de la remettre à la mer immédiatement, elle est morte. »

Comme si elle avait compris ce qu'il venait de dire, la baleine ouvrit tout grands ses yeux. Elle le regarda d'un air mélancolique et résigné. En tout cas, ce fut l'impression de Bob. Puis ses yeux redevinrent des fentes et se refermèrent lentement.

« La remettre à la mer ? répéta Peter. Mais comment ? Nous n'arrivions même pas à la bouger quand elle flottait encore à moitié. »

Il avait raison et Bob le savait. Le jeune archiviste observa son chef. Hannibal Jones n'avait pas encore dit un mot. Cela ne lui ressemblait pas. D'ordinaire, il était le premier à émettre une proposition quand les Trois jeunes détectives rencontraient une difficulté.

Mais s'il ne disait rien, Hannibal Jones n'en réfléchissait pas moins, avec toute l'attention dont il était capable. En effet, il pinçait sa lèvre inférieure entre son pouce et son index, ce qui était toujours chez lui le signe de la plus profonde méditation.

« Si Mahomet ne vient pas à la montagne, déclara-t-il enfin, il va falloir que la montagne se décide à venir jusqu'à Mahomet.

— Tu ne peux pas t'exprimer plus clairement ? protesta Peter. De quelle montagne parles-tu ? »

Il arrivait à Hannibal de s'exprimer en

phrases savantes et sibyllines, si bien que les deux autres détectives avaient quelquefois du mal à le comprendre.

« La montagne, c'est la mer, expliqua-t-il. Si nous avions une bêche... et une bâche, peut-être... et cette vieille pompe à main qu'oncle Titus a achetée le mois passé pour son bric-à-brac... Et aussi un long tuyau...

— Nous pourrions creuser un trou, interrompit Bob.

— Et y mettre la bâche, ajouta Peter.

— Et pomper de l'eau dedans, acheva Hannibal. Cela ferait une espèce de piscine où la baleine pourrait survivre jusqu'à la prochaine marée. »

Après une brève discussion, il fut décidé que Bob et Peter iraient à bicyclette au *Paradis de la Brocante* — où l'oncle d'Hannibal faisait commerce de bric-à-brac — pour en rapporter l'équipement nécessaire, tandis qu'Hannibal resterait tenir compagnie à la baleine.

Lorsque ses amis furent partis, le détective en chef se mit à fouiller les épaves échouées sur la plage. Il finit par trouver un vieux seau en matière plastique, cabossé mais intact. Pendant une demi-heure, en attendant les renforts, Hannibal passa son temps à aller remplir son seau dans la mer, à revenir arroser la baleine et à repartir pour un nouveau voyage.

Le détective en chef n'aimait guère les travaux manuels. Il préférait utiliser son intelligence, et ce fut d'un air irrité qu'il accueillit ses adjoints lorsqu'ils reparurent, après s'être hâtés autant qu'ils pouvaient.

« Vous avez cueilli des pâquerettes en chemin ? » bougonna-t-il.

En fait de pâquerettes, les garçons rapportaient tout ce qu'Hannibal leur avait demandé : une grande bâche imperméable, la pompe à main, une bêche tranchante et un tuyau d'arrosage.

« Creusons aussi près de la baleine que possible, commanda Hannibal. Comme ça, nous pourrons peut-être la basculer dans le trou. »

Peter, qui était le plus fort des trois, creusa le trou presque à lui tout seul. Heureusement, le sable humide qu'on trouvait sous la surface sèche était parfaitement meuble. En une heure, un fossé fut creusé, qui faisait environ quatre mètres de long, deux mètres de large et autant en profondeur.

La bâche fut placée dans le fossé, de manière à en rendre les parois et le fond imperméables. Peter alla mettre la pompe dans l'eau et se mit à l'actionner, pendant qu'Hannibal et Bob déroulaient le tuyau jusqu'au fossé. La pompe, qui avait sans doute appartenu à quelque bateau de pêche, se révéla excellente. Le fossé fut bientôt plein.

« Bien. Le plus dur reste à faire, commenta Hannibal.

— Ah! tu trouves? répliqua Peter. J'espère au moins que, cette fois-ci, tu vas faire ta part de travail. »

Hannibal ne prit même pas la peine de répondre. Il était persuadé d'avoir déjà fait plus que sa part. N'avait-il pas inventé le stratagème?

Après un moment de repos, les trois détectives se placèrent derrière la baleine. Ils s'arc-boutèrent, les mains posées sur le dos de l'animal, qui demeurait là, sans un mouvement, les yeux fermés. Bob lui flatta la tête. La baleine ouvrit immédiatement les yeux et parut esquisser un sourire.

« A *trois*, on pousse, commanda le détective en chef. Vous êtes prêts ? Tous ensemble ! Un ! Deux ! Tr... »

Il n'eut pas le temps d'achever. Les trois garçons n'avaient pas encore commencé à pousser que la baleine se tendit, comme si elle aussi rassemblait ses forces. Puis, d'un mouvement soudain et convulsif, elle exécuta une espèce de saut périlleux et retomba sur le dos, dans sa piscine !

« Ça alors ! » s'écria Bob.

Hannibal et Peter n'étaient pas moins stupéfaits que lui.

Une fois dans l'eau, la baleine reprit sa position normale. Elle plongea un instant, ravie de se retrouver dans son élément, puis elle revint à la surface et cracha une colonne de vapeur par son évent. On aurait cru qu'elle disait merci à ses sauveteurs.

« Maintenant, quand la marée haute reviendra... commença Hannibal.

— Ne t'inquiète pas pour la marée : elle reviendra sûrement, dit Peter. Mais il ne doit pas être loin de neuf heures, et nous avons du travail au *Paradis de la Brocante.* Sans compter que je n'ai pas encore pris mon petit déjeuner. »

Hannibal habitait chez son oncle Titus et sa tante Mathilde au *Paradis de la Brocante*, dans la banlieue de Rocky. Les trois garçons donnaient souvent un coup de main à l'oncle Titus, triant et réparant les meubles, la ferraille et les vieilles machines qu'il dénichait.

Ils se dépêchèrent de faire leurs adieux à la baleine.

« Porte-toi bien et ne te laisse pas dessécher, lui dit Bob. Nous reviendrons cet après-midi pour être sûrs que tu as bien repris la mer. »

Les garçons se rechaussèrent, rassemblèrent la pompe, la bêche et le tuyau et partirent en courant. Ils étaient au sommet de la falaise et s'apprêtaient à remonter à bicyclette quand Hannibal entendit un bruit derrière eux.

Un petit bateau, pourvu d'une cabine et d'un moteur hors bord, longeait la côte à quelque distance. On apercevait deux hommes à bord, mais on ne pouvait pas distinguer de quoi ils avaient l'air.

Un éclair, suivi de quelques autres, brilla sur le bateau.

« On dirait qu'ils font des signaux », remarqua Peter.

Le détective en chef secoua la tête.

« Je ne crois pas, dit-il. Des signaux supposent un rythme précis. Je pense plutôt que l'un de ces hommes utilise des jumelles : les éclairs que nous voyons sont des reflets du soleil sur ses verres. »

Peter et Bob trouvèrent la déduction vraisemblable et l'incident ordinaire, mais Hannibal ne touchait toujours pas à sa bicyclette. Il surveillait la vedette, qui obliquait maintenant vers le littoral.

« Alors, tu viens ? fit Peter impatiemment. Cesse de faire des mystères avec tout ce que tu vois. En ce moment, il y a des centaines de gens qui regardent les baleines grises avec leurs jumelles.

— Je le sais bien, dit Hannibal, en se résignant à pousser lui aussi sa bicyclette vers la route. Mais l'homme du bateau n'observait pas les baleines ; il était tourné vers le rivage. En fait, j'ai l'impression que c'est nous qu'il observait.

— Peut-être nous a-t-il vus sauver la baleine», répondit Bob d'un ton indifférent, et Hannibal n'insista pas.

Tante Mathilde attendait les garçons au milieu de son bric-à-brac. C'était une brave femme, toujours de bonne humeur, qui aimait tenir sa maison et diriger avec son mari le *Paradis de la Brocante.* Elle était heureuse d'avoir recueilli Hannibal, à la mort de ses parents. Mais ce qui lui causait le plus de plaisir dans la vie, c'était de faire travailler les trois garçons.

«Vous êtes en retard! leur dit-elle lorsqu'ils entrèrent à bicyclette dans la cour du bric-à-brac. Encore en train de résoudre une devinette, je suppose!»

Hannibal n'avait jamais expliqué à sa tante que Bob, Peter et lui avaient fondé une véritable agence de détectives et qu'ils se livraient à des enquêtes pour les personnes qui requéraient leurs services. Tante Mathilde pensait qu'ils appartenaient simplement à un de ces clubs où l'on s'amuse à résoudre les énigmes que l'on trouve dans les journaux et les magazines.

Les garçons travaillèrent dur pendant plusieurs heures avant que tante Mathilde ne leur servît leur déjeuner et ne leur déclarât qu'ils étaient libres pour le restant de la journée.

Il était donc trois heures passées lorsque

les détectives regagnèrent la crique. La marée remontait à grande allure. Ils laissèrent leurs bicyclettes en haut de la falaise et se précipitèrent vers la plage.

Peter, qui courait plus vite que les deux autres, fut le premier à atteindre la piscine improvisée. Il s'arrêta brusquement, stupéfait par ce qu'il voyait... ou plutôt ce qu'il ne voyait pas.

Hannibal et Bob le rejoignirent. Et ils restèrent aussi ahuris que lui.

La piscine était toujours là, au milieu du sable sec. Elle était toujours pleine d'eau.

D'eau et de rien d'autre.

La petite baleine avait disparu.

Chapitre 2

La *Féerie de la Mer*

« Elle a peut-être recommencé ses sauts périlleux, dit Peter. Elle se sera propulsée sur la plage et aura regagné l'océan par bonds... »

Il ne paraissait pas trop convaincu par sa propre théorie.

« Je l'espère », dit Bob d'une voix désespérée.

La distance entre la piscine et la mer était trop grande pour que la baleine eût pu la parcourir de cette manière.

Hannibal, lui, ne disait rien. Il s'était écarté de la piscine et décrivait des cercles autour d'elle, les yeux fixés sur le sable.

Lorsqu'il eut rejoint ses camarades, il leur fit part, d'un ton pensif, de ses observations.

« Un camion. Avec crabotage. Venu de la route. Traversé la plage. Fait marche arrière jusqu'à la piscine. Resté assez longtemps pour s'enfoncer d'un bon nombre de centimètres dans le sable. Utilisé des planches glissées sous les roues de devant pour repartir. Retourné sur la route. »

Hannibal montra à ses amis les traces de pneus sur la plage et les marques laissées par les planches. Tout cela était évident, et ils s'étonnèrent de n'avoir rien remarqué plus tôt. Il est vrai qu'Hannibal avait l'habitude de remarquer l'évidence avant tout le monde.

« Quelqu'un a dû signaler la baleine échouée aux autorités, supposa Peter. Et des gens seront venus à son secours.

— Bien raisonné », approuva Hannibal.

Quand il émettait ce genre de compliment, c'était qu'il venait de tenir le même raisonnement lui-même.

« Bon. Supposons que quelqu'un aperçoive une baleine en train de nager dans une piscine improvisée sur la plage. A quelle autorité s'adresserait-il ? »

Sans attendre de réponse, il se dirigea vers les bicyclettes. Peter et Bob roulèrent la bâche et le suivirent.

« Il s'adresserait à la *Féerie de la Mer.* »

Telle fut la réponse qu'Hannibal se donna à lui-même une demi-heure plus tard.

Les Trois jeunes détectives étaient installés dans leur Q. G. au milieu du *Paradis de la Brocante.*

Ce Q. G. était constitué d'une caravane de dix mètres de long que Titus Jones avait achetée des années plus tôt et qu'il n'était jamais arrivé à vendre. Peu à peu, des montagnes d'objets de rebut avaient été soigneusement accumulées autour de l'engin, si bien qu'il était devenu complètement invisible. Les garçons avaient des moyens secrets pour y accéder.

A l'intérieur, on trouvait un laboratoire, une chambre noire pour travaux photographiques et un bureau comportant une table, des sièges, un vieux classeur et un téléphone dont les garçons réglaient eux-mêmes l'abonnement grâce à l'argent qu'ils gagnaient en travaillant chez les Jones.

«Oui, la *Féerie de la Mer*», répéta Hannibal.

Il siégeait dans le fauteuil pivotant, derrière le bureau, et il feuilletait l'annuaire téléphonique de la région. Il trouva le numéro qu'il cherchait et le forma sur le cadran.

Un haut-parleur était raccordé à l'appareil, si bien que les trois garçons purent entendre la sonnerie, puis une voix d'homme.

«Merci d'avoir appelé la *Féerie de la Mer*, prononça la voix. La *Féerie de la Mer* se trouve sur la route du Pacifique légèrement au nord du Canon Topanga.»

C'était manifestement un message enregistré.

Non sans impatience, Hannibal écouta l'homme débiter le prix des billets et les heures des spectacles organisés dans l'aquarium en plein air. Ce ne fut qu'à la fin du message que le détective en chef montra quelque intérêt.

«La *Féerie de la Mer*, disait l'homme, est ouverte de dix à dix-huit heures du mardi au dimanche. Tous les jours excepté lundi, vous pouvez...»

Hannibal raccrocha.

«C'est bien notre chance, dit Peter. Nous appelons le seul jour de la semaine où ce cirque est fermé.»

Hannibal répondit par un signe distrait. Son

visage rond exprimait une intense concentration. Une fois de plus, il se pinçait la lèvre inférieure.

« Alors, qu'est-ce qu'on fait ? demanda Bob. On essaie de nouveau demain ?

— La *Féerie de la Mer* est à peine à quelques kilomètres d'ici, dit Hannibal. Demain, on pourrait aller voir cette institution d'un peu plus près. »

Le lendemain à dix heures, les Trois jeunes détectives enchaînèrent donc leurs bicyclettes à la grille de la *Féerie de la Mer* et prirent leurs billets au guichet. Ils commencèrent par se promener le long des allées du zoo maritime, s'arrêtant pour regarder les phoques et les pingouins s'amuser dans leurs piscines. Puis Bob avisa un bâtiment peint en blanc et pourvu d'une pancarte sur laquelle on pouvait lire :

DIRECTION

Hannibal frappa à la porte.

« Entrez », répondit une voix aimable, et les Trois jeunes détectives pénétrèrent dans le bureau.

Une jeune femme s'y tenait debout. Elle portait un maillot de bain deux pièces ; sa peau était couverte d'un hâle foncé, uniforme. Ses cheveux noirs, coupés court, faisaient penser à la chevelure des Indiens. Elle était plus grande que les détectives. Ses épaules étaient larges et ses hanches étroites, ce qui la faisait ressembler à un poisson : on avait l'impression qu'elle devait être plus à l'aise dans l'eau que sur la terre ferme.

« Bonjour, fit-elle. Je m'appelle Constance Carmel. Que puis-je faire pour vous ?

— Nous aimerions vous signaler une baleine qui s'était échouée sur la côte, répondit Hannibal. Nous lui avons fait une petite piscine et nous... »

Il raconta ce qui s'était passé la veille et termina en déclarant que la baleine rescapée avait disparu.

Constance Carmel l'avait écouté sans l'interrompre.

« Tout cela est arrivé hier ? » demanda-t-elle.

Bob fit oui de la tête.

« Je n'étais pas ici, hier », dit la jeune femme. Elle avait tourné le dos aux garçons pour prendre un masque de plongée dans un casier.

« Le personnel est réduit au minimum les lundis », expliqua-t-elle.

Elle se tut pendant quelques instants, tirant sur la bretelle du masque, puis elle se tourna de nouveau vers les détectives.

« Mais si une baleine échouée avait été sauvée et amenée ici, à la *Féerie de la Mer*, on m'en aurait sûrement parlé ce matin.

— Et on ne vous a rien dit ? » demanda Bob, déçu.

Elle secoua la tête en tirant toujours sur la bretelle.

« Désolée, fit-elle, je ne sais rien de plus. Je ne peux pas vous aider.

— Merci quand même, fit Peter avec amertume.

— Je vous ai dit que j'étais désolée, répliqua Constance Carmel. Et maintenant, si vous voulez bien m'excuser, j'ai un spectacle à présenter.

— Si jamais vous entendiez parler de notre baleine... »

Hannibal avait tiré une carte de sa poche et la tendait à la jeune femme.

C'était une de leurs cartes professionnelles. Hannibal les avait imprimées lui-même sur la vieille presse du bric-à-brac.

Elle était libellée en ces termes :

LES TROIS JEUNES DÉTECTIVES
Détections en tout genre
???
Détective en chef : HANNIBAL JONES
Détective adjoint : PETER CRENTCH
Archives et recherches : BOB ANDY

Plus bas, on trouvait le numéro de téléphone du Q.G.

D'ordinaire, les gens demandaient ce que signifiaient les trois points d'interrogation. Hannibal leur expliquait alors qu'ils représentaient les mystères à percer et les énigmes à résoudre.

Mais Constance Carmel ne posa pas la question. Elle mit la carte sur le bureau sans même la regarder.

Les Trois jeunes détectives tournèrent les talons et se dirigèrent en file indienne vers la porte. Peter était sur le point de l'ouvrir quand la jeune femme fit quelques pas vers eux.

« Elle vous inquiète vraiment, votre baleine grise, ou votre baleine pilote? Je ne sais plus à quelle race elle appartenait.

— Oui, mademoiselle. Elle nous inquiète, répondit Bob.

— Ne vous faites pas trop de souci. Je suis

sûre qu'elle va bien. Quelqu'un a dû la recueillir, c'est certain. »

Sur ces paroles rassurantes, les détectives quittèrent la *Féerie de la Mer*, détachèrent leurs bicyclettes et les poussèrent vers la route entre les voitures garées dans le parking.

Bob et Peter étaient attristés par leur déconvenue, mais Hannibal ne paraissait pas découragé le moins du monde. Il souriait de cet air émoustillé qu'il avait quand les Trois jeunes détectives se lançaient dans une affaire passionnante.

« Allez, Babal, fit Peter. Dis-nous tout. Pourquoi as-tu l'air si réjoui ? »

Ils étaient arrivés au bout du parking. Hannibal appuya sa bicyclette contre le petit mur de pierre. Ses amis l'imitèrent. Visiblement, le détective en chef s'apprêtait à faire un discours.

« Examinons les faits, commença-t-il. Toute personne qui aurait téléphoné hier à la *Féerie de la Mer* aurait entendu le même message enregistré que nous.

— Si bien que personne n'aurait pu signaler la baleine échouée, ajouta Peter.

— A moins d'appeler Constance Carmel chez elle, précisa Hannibal.

— Qu'est-ce qui te fait croire ça ? demanda Bob.

— Le fait qu'elle n'a pas eu l'air surprise du tout quand nous lui avons raconté notre histoire. Elle nous a écoutés, mais la seule question qu'elle ait posée, nous y avions déjà répondu.

— Elle nous a demandé quand cela s'était passé.

— Précisément. Ce qui me donne à penser que ce n'était pas une vraie question qu'elle nous posait. Elle se préparait à nous déclarer qu'elle n'était pas à son travail hier et que l'affaire ne la concernait en rien. Et puis, comme nous étions en train de partir, elle a fait l'effort de nous dire que la baleine allait bien. Elle en paraissait certaine. Elle nous a même dit qu'elle était sûre que la baleine grise avait été recueillie.

— Non, ce n'est pas cela qu'elle a dit », protesta Bob.

Un détail qu'il avait enregistré la veille sans bien le comprendre lui revenait à l'esprit. Un détail important.

« Elle a dit que la baleine grise ou la baleine pilote, peu importe la race, se portait bien.

— Elle a sans doute fait exprès de rester dans le vague, supposa Peter, pour que nous ne pensions pas qu'elle savait déjà de quoi il s'agissait.

— Oh ! non, elle n'a pas fait exprès ! riposta Bob, qui était si sûr de lui qu'il haussa même le ton. Elle n'a pas fait exprès, et elle s'est trahie ! Parce que, tu vois, elle a raison. Ce n'est pas une baleine grise que nous avons sauvée. Les baleines grises ont des évents doubles, comme des naseaux. C'est pourquoi, lorsqu'elles crachent, la vapeur sort comme d'une fontaine, dans toutes les directions. Mais notre baleine à nous, elle a un évent unique. Je l'ai remarqué quand nous essayions de la repousser dans la mer. Et lorsqu'elle s'est mise à cracher, il n'y a eu qu'un seul jet d'eau. »

Les deux autres détectives considéraient Bob avec admiration.

« Alors c'était quoi, la baleine qu'on a sauvée ? demanda Peter.

— Je suis à peu près certain que c'était une

jeune baleine pilote du Pacifique, qui se déplaçait par hasard avec les baleines grises.

— C'est aussi ce que pensait Constance Carmel, dit Hannibal en hochant la tête. Bien raisonné, Bob. En ce cas, comment la situation se présente-t-elle ? Sous la forme d'une baleine kidnappée, qui se promenait toute seule dans l'océan, et d'une fille de la *Féerie de la Mer* qui prétend n'en avoir jamais entendu parler. Mais il est bien évident que... »

Un coup de trompe interrompit Hannibal. Les Trois jeunes détectives se jetèrent derrière le petit mur : une camionnette blanche sortait en trombe du parking et se jetait à toute allure sur la route du Pacifique.

Elle filait vite, mais pas si vite que les trois garçons n'eussent pas le temps de voir qui était au volant.

C'était Constance Carmel.

Or, cinq minutes plus tôt, elle leur avait dit qu'elle devait les quitter parce qu'elle allait présenter un spectacle.

Un événement inattendu avait dû modifier son programme.

Mais quel événement ?

« L'événement, ce doit être nous, dit Hannibal d'un ton pensif. C'est ce que nous lui avons raconté qui lui a fait un effet pareil ! »

Chapitre 3

Cent dollars de récompense

« Bon, dit Peter. Tout ça prouve peut-être que Constance Carmel nous a raconté des craques. Et puis après ? »

C'était la fin de l'après-midi. Après l'expédition à la *Féerie de la Mer*, Bob était allé travailler à la bibliothèque, Peter s'était trouvé astreint à quelques corvées chez ses parents et Hannibal avait fait de menus travaux au *Paradis de la Brocante*. Les Trois jeunes détectives s'étaient rassemblés au Q.G. dès qu'ils avaient pu.

Peter poursuivit :

« Après tout, les adultes, c'est comme ça. Quand on leur pose une question, on ne s'attend pas à ce qu'ils vous répondent toute la vérité... »

La sonnerie du téléphone l'interrompit. Hannibal décrocha.

« Allô, fit une voix qui résonna dans le haut-parleur raccordé au téléphone. Je voudrais parler à M. Hannibal Jones.

— C'est moi-même.

— J'ai cru comprendre que vous étiez à la recherche d'une baleine emballée. »

Que voulait-il dire ? Emballée comme un cheval ? Ou comme un paquet ? En tout cas, il avait l'accent traînant des gens du Sud des Etats-Unis, du moins tel qu'on l'entend à la télévision. Du Mississippi, peut-être, ou de l'Alabama.

« C'est exact, reconnut Hannibal.

— J'ai cru comprendre également que vous avez une espèce d'agence de détectives.

— Toujours exact. Nous sommes les Trois jeunes dé...

— Dans ce cas, vous pourriez peut-être vous intéresser à cette affaire. Je vous donnerais cent dollars pour retrouver la baleine perdue et la rendre à l'océan.

— Cent dollars ! s'écria Bob.

— L'affaire vous intéresse-t-elle ?

— Certainement », dit Hannibal.

Il se saisit d'un crayon et d'un bloc-notes.

« Si vous voulez bien me donner votre nom et votre numéro de téléphone... »

L'homme l'interrompit à nouveau.

« Inutile. Mettez-vous au travail le plus vite possible. Je vous rappellerai dans un ou deux jours.

— Mais... »

Hannibal ne put achever sa réplique. Le correspondant avait raccroché.

« Cent dollars ! » répéta Bob.

L'agence avait déjà eu pas mal de clients et avait résolu pas mal d'énigmes, mais jamais personne n'avait engagé les services des garçons pour une somme de cent dollars.

Hannibal reposa lentement le combiné. Il réfléchissait à cette étrange communication.

« Ce type nous appelle, constata-t-il, et nous offre une récompense. Mais il ne nous dit pas son nom. Il ne nous dit pas non plus où il a trouvé notre numéro. Mais il sait forcément que nous étions à la *Féerie de la Mer* ce matin... »

Tirant sur sa lèvre, il s'arrêta de parler.

« Et alors! dit Peter. Tu n'as pas l'intention de renoncer à cette affaire, j'espère? Cent dollars, c'est cent dollars!

— Bien sûr que non! répliqua Hannibal. Sans compter les cent dollars, cet appel mystérieux rend l'affaire encore plus passionnante. La seule question est de savoir par où nous allons commencer notre enquête. »

Après quelques instants de silence, Hannibal prit l'annuaire du téléphone.

« Constance Carmel, dit-il. Pour l'instant, c'est notre seul contact. »

A la lettre C, il trouva trois Carmel. Carmel Arturo. Carmel Benedict. Et : « *Carmel Diego, votre spécialiste de la pêche en haute mer* ». Pas de Constance.

Hannibal commença par Arturo. L'opératrice répondit à la troisième sonnerie. Il n'y avait plus d'abonné au numéro demandé.

Benedict Carmel prit son temps pour répondre. Puis un chuchotement courtois avertit Hannibal que frère Benedict était entré dans un monastère. L'excellent frère avait fait vœu de silence pour six mois.

A première vue, on pouvait donc supposer que Benedict Carmel n'était pas mêlé à l'affaire.

Quant à Diego Carmel, « votre spécialiste de

la pêche en haute mer», il ne répondait pas du tout.

«Au moins, nous savons où la retrouver, dit Bob. Six jours par semaine elle est à la *Féerie de la Mer.*

— Et nous connaissons sa voiture, ajouta Hannibal. Une camionnette blanche.»

Il ferma à moitié les yeux et fronça les sourcils. Il avait l'air d'un chérubin de mauvaise humeur et passablement ensommeillé.

«La *Féerie de la Mer* ferme à dix-huit heures, dit le chérubin, se rappelant le message enregistré entendu la veille. Constance Carmel doit partir un peu plus tard. Voilà du travail en perspective pour toi, Peter. Mais pas aujourd'hui : il est trop tard. Il faudra que tu t'y mettes demain.»

Peter soupira. Il avait l'habitude. Chaque fois que l'agence avait besoin de deux bonnes jambes capables de prendre la poudre d'escampette en vitesse, Hannibal faisait appel à celles de Peter Crentch.

Cette fois, d'ailleurs, cela ne l'ennuyait pas. Il y avait quelque chose dans cette affaire qui l'intriguait particulièrement. Et ne vous y trompez pas, ce n'étaient pas tellement les cent dollars. C'était plutôt l'espoir de rendre la petite baleine à son élément naturel : l'océan.

A dix-sept heures trente, le lendemain, Hans déposa les Trois jeunes détectives près du parking de la *Féerie de la Mer.* Hans était l'un des deux frères originaires de Bavière employés par Titus Jones.

Hannibal et Bob sortirent leurs bicyclettes du camion.

«Dites donc, les gars, demanda Hans en grattant sa tête blonde, vous êtes sûrs que vous savez compter ? Deux vélos pour trois garçons, ça ne fait pas le compte.

— Peter n'aura pas besoin de vélo, répliqua Hannibal. Il est censé rentrer en stop.

— Comme vous voulez, dit Hans, en reprenant le volant. Si vous avez besoin de moi, vous me passez un coup de fil. D'accord ? »

Dès qu'il se fut éloigné, les détectives se mirent à la recherche de la camionnette de Constance Carmel. Ils la trouvèrent sans difficulté : elle était parquée dans une section du parking marquée PERSONNEL SEULEMENT, et c'était la seule camionnette blanche. Hannibal et Peter la contournèrent, tandis que Bob surveillait la grille du zoo pour le cas où Constance aurait paru inopinément.

La chance souriait aux détectives ce jour-là. La caisse de la camionnette n'était pas vide. On y voyait de longues bandes de mousse de plastique, des cordes, et une grande toile pliée de manière irrégulière.

Peter grimpa dans la caisse en passant pardessus l'abattant arrière et s'étendit sur le fond de métal. Hannibal l'entoura de mousse de plastique et le recouvrit avec la toile. Bientôt il ferait nuit, mais même en plein soleil personne n'aurait pu voir Peter sous cet amoncellement.

« Maintenant, lui dit Hannibal, Bob et moi, nous allons filer. Il vaut mieux que Constance Carmel ne nous voie pas dans les parages. Nous t'attendrons au Q. G. Ça va ?

— Ça va, répondit Peter. Je téléphonerai dès que je pourrai. »

Il entendit Hannibal redescendre à terre et le bruit de ses pas s'éloigner. Ensuite, pendant un bon bout de temps, il n'entendit plus rien que d'autres voitures qui démarraient et quittaient le parking.

Il était sur le point de s'endormir quand un tintement résonna tout près de lui. Une petite averse d'eau se répandit sur la toile qui le recouvrait et lui mouilla même le visage. C'était de l'eau salée. Peter attendit que la camionnette eût pris de la vitesse à l'extérieur du parking avant de glisser un œil par-dessous la toile.

Un grand seau de plastique avait été posé à quelques centimètres de son visage. Peter entendait l'eau clapoter à l'intérieur.

Quand la camionnette s'arrêta, deux ou trois minutes plus tard, devant un feu rouge, un autre bruit provint du seau : on aurait dit des battements précipités contre ses parois.

« Ce sont des poissons ! Des poissons vivants », conclut Peter.

Et il se cacha de nouveau sous la toile.

Pendant quelques minutes, la camionnette roula à grande allure sur une route plate. La route du Pacifique, devina Peter. Puis elle ralentit et commença de monter. Arrivait-on à Santa Monica ? Sans doute, car une rampe abrupte conduit à cette ville. Après cela, il y eut tant d'arrêts et de virages que Peter perdit toute notion de la direction suivie. Quand le crépuscule tomba, la camionnette montait de nouveau le long d'une route tortueuse : on devait être dans les collines de Santa Monica.

Enfin la camionnette s'arrêta. L'abattant fut baissé. Des pieds nus glissèrent sur le fond de métal. Quelqu'un approchait de Peter, qui retint sa respiration. Il y eut un bruit d'eau. On avait soulevé le seau de plastique. Les pieds nus s'éloignèrent. L'abattant fut remis en place.

Peter attendit encore trois minutes avant de couler un regard au-dehors.

La camionnette était garée devant une maison en brique longue et basse, d'aspect cossu. Une lampe brillait au-dessus de la porte d'entrée, à laquelle on accédait par un perron de béton. Au pied des marches, il y avait une boîte à lettres sur laquelle s'inscrivait un nom que Peter parvint à déchiffrer :

SLATER

Il attendit encore une minute, puis il descendit prudemment de la camionnette, du côté opposé à la maison. Lentement, il vint se placer de manière à pouvoir regarder par-dessus le capot sans rien montrer que le sommet de sa tête.

Personne en vue. D'ailleurs Peter ne s'était pas attendu à trouver beaucoup de monde dehors dans un district aussi résidentiel et isolé. Mais ce qui l'étonna, c'était qu'il n'y eût aucune lumière, sauf celle qui était allumée au-dessus de la porte. Toutes les fenêtres étaient obscures. Il semblait bien que Constance Carmel n'était pas entrée dans la maison.

« Pas la peine de passer la nuit embusqué ici », décida Peter.

Il n'y avait, de toute évidence, que deux choses raisonnables à faire. Soit il marchait jusqu'au coin de rue le plus proche, notait le nom de celle où il se trouvait, et signalait à Bob et Babal l'adresse des Slater. Soit il poursuivait l'enquête tout seul et essayait de trouver où Constance Carmel était passée avec son seau de poissons vivants.

Il venait de choisir la première solution, quand il entendit soudain une voix de femme résonner dans l'obscurité.

« Fluke! appelait la voix. Fluke! Fluke!... Fluke! »

Fluke ne répondait pas.

Peter était sûr que la voix ne provenait pas de l'intérieur de la maison. Plutôt du jardin derrière.

Il remarqua alors une allée de béton passablement abrupte montant vers le garage qui formait l'aile gauche de la maison. A côté du garage, il avisa une petite grille de bois derrière laquelle la silhouette d'un palmier se profilait sur le ciel vaguement luminescent.

Peter grimpa jusqu'à la grille. Un simple loquet la maintenait fermée. Il le souleva, franchit la grille et la referma derrière lui.

Il se trouvait sur une allée de béton qui courait dans l'obscurité, le long du mur du garage. Ployé en deux, Peter s'avança doucement, furtivement, vers le jardin qui s'étendait derrière la maison.

« Fluke! Fluke! Fluke! Gentil bébé, Fluke! »

La voix de la femme était bien plus proche maintenant. A quelques mètres de Peter, tout au plus.

Le garçon s'arrêta. Devant lui, sur sa gauche, il y avait une pelouse au bout de laquelle s'élevait le palmier qu'il avait remarqué tout à l'heure. A droite, il ne voyait rien : le mur du garage lui cachait encore ce qui se trouvait derrière la maison. Il rassembla tout son courage et courut jusqu'au palmier.

Il l'atteignit, s'abrita derrière le tronc, respira un bon coup, et regarda autour de lui.

La première chose qu'il vit — en fait : la seule chose qu'il y eût à voir — fut une vaste piscine. Eclairée par des lampes placées sous l'eau, elle faisait toute la longueur de la maison.

« Fluke ! Fluke... Fluke ! Gentil bébé, Fluke ! »

Constance Carmel, toujours vêtue du même costume de bain deux pièces, se tenait à l'autre bout de la piscine. Le seau de plastique était posé sur le rebord de béton, à côté d'elle. Peter la vit plonger la main dedans, en retirer un poisson vivant, le tenir en l'air un instant, et puis le jeter au-dessus de l'eau en une longue trajectoire courbe.

Aussitôt, une masse sombre apparut à la surface de la piscine. Elle s'éleva verticalement, jusqu'au moment où elle parut dressée sur l'eau de toute sa longueur de plus de trois mètres. Un instant, elle parut suspendue, comme si elle volait. Sa gueule s'ouvrit. D'un mouvement rapide et souple de tout son corps, elle saisit le poisson en l'air. Puis d'un saut périlleux vers l'arrière exécuté avec beaucoup de grâce, elle plongea de nouveau dans les profondeurs de la piscine.

« Gentil bébé, Fluke. C'est très bien ! »

Constance Carmel portait des palmes de plongée aux pieds et un masque était attaché autour de son cou. Elle le remonta sur son visage et se laissa glisser dans l'eau.

Peter passait lui-même pour un bon nageur — il appartenait à l'équipe de son lycée — mais il n'avait jamais vu personne nager comme Constance Carmel. On aurait cru qu'elle ne bougeait ni bras ni jambes. Elle filait dans l'eau avec la légèreté d'une hirondelle sillonnant l'air.

Elle était déjà au milieu de la piscine. La petite baleine était venue à sa rencontre. On aurait cru deux amies qui ne s'étaient pas vues depuis une éternité. La baleine se frottait doucement contre le flanc de Constance, qui lui caressait la tête et lui flattait les lèvres. Elles plongèrent ensemble et se mirent à nager. Constance enlaçant la baleine d'un bras, avant de monter carrément à califourchon sur son dos.

Peter trouvait ces jeux si divertissants qu'il s'allongea dans l'herbe derrière son palmier, le menton calé sur les mains. C'était bien mieux que le cinéma. Le jeune détective était passionné par le spectacle.

Constance et la baleine se trouvaient maintenant à l'extrémité de la piscine la plus proche de Peter. La jeune femme caressa la tête de l'animal, puis, d'une torsion gracieuse et rapide, elle s'en éloigna. La baleine la suivit. Constance la caressa de nouveau, mais en secouant la tête. De nouveau, elle s'éloigna. Cette fois-ci, la baleine demeura sur place, sans bouger. Elle attendait.

Constance atteignit l'autre bout de la piscine, sortit de l'eau et s'assit sur le rebord de béton.

La petite baleine attendait toujours.

« Fluke! Fluke! Fluke! » appela Constance.

La baleine leva la tête au-dessus de l'eau. Peter vit un éclair de vivacité passer dans ses yeux. D'un seul élan, la baleine rejoignit Constance.

« Gentil bébé, Fluke », dit la jeune femme, en effleurant du doigt les lèvres de la baleine.

Puis elle tendit le bras vers le seau, où elle prit un poisson qu'elle jeta à l'animal.

« Très bien, Fluke. C'est très gentil. »

Elle caressa de nouveau la bête, puis ramassa un objet qui se trouvait dans l'herbe derrière elle. D'abord, Peter ne put voir ce que c'était, car les lumières sous-marines qui éclairaient la piscine laissaient les environs dans l'ombre.

Fluke se haussa hors de l'eau. Elle semblait presque se tenir debout sur sa queue. Constance l'entoura de ses bras, lui faisant quelque chose dans le dos. Peter leva la tête et vit ce que c'était.

La jeune femme avait passé une bande de toile par-dessus la tête de Fluke, juste derrière les yeux, là où il y aurait eu un cou si les baleines avaient un cou. Elle serra la bande et la passa dans une boucle. Elle avait mis à Fluke un collier, ou peut-être un harnais.

Soudain Peter s'aplatit dans l'herbe.

Le loquet venait de claquer : quelqu'un avait poussé la petite grille de bois. Peter l'entendit se refermer. Des pas approchaient. Ils passèrent si près de lui qu'il se demanda si le nouveau venu n'allait pas lui marcher dessus. Puis les pas s'éloignèrent en direction de la piscine.

« Bonsoir, Constance, fit une voix d'homme.

— Bonsoir, monsieur Slater. »

Peter n'osait plus lever la tête, mais il la tourna un peu de manière que ses yeux fussent au-dessus de l'herbe.

L'homme se tenait près de Constance, à l'autre bout de la piscine. Il était tout petit : il avait une demi-tête de moins qu'elle. Son visage était dans l'ombre ; impossible de distinguer ses traits. Un détail, pourtant, apparaissait clairement. Bien qu'il fût assez jeune — il pouvait avoir trente-cinq ans —, il était complètement chauve. Malgré la pénombre, sa tête ronde et lisse brillait comme une boule de billard.

« Alors, ça avance ? demanda-t-il. Quand serez-vous prêtes ? »

Il parlait avec lenteur. Et il sembla à Peter qu'il avait déjà entendu cette voix traînante quelque part.

« Ecoutez-moi bien, monsieur Slater, répondit Constance en toisant le bonhomme avec colère. J'ai accepté de vous aider à cause de mon père. Mais je le ferai à ma façon. A mon rythme. Si vous vous en mêlez, Fluke retourne immédiatement dans la mer et vous n'aurez qu'à vous chercher une autre baleine et à la dresser vous-même. »

Elle se tut et jeta un regard à Fluke. Puis elle reprit :

« C'est compris, monsieur Slater ? »

Elle le toisait de nouveau, les poings sur les hanches, l'air farouche.

« Ne vous fâchez pas, c'est compris », répondit Slater.

Cette fois-ci, Peter reconnut l'accent du Sud : c'était celui du client qui avait sollicité l'intervention des Trois jeunes détectives.

Chapitre 4

L'homme à l'œil abîmé

« Tu en es sûr ? demanda Hannibal Jones. Tu es sûr que c'était la même voix, Peter ? »

Il avait fallu vingt minutes à Peter, vingt minutes de course à pied en descendant la colline, pour trouver une station-service d'où il avait appelé le Q.G. Et il avait fallu presque autant de temps à Hans pour venir le chercher. A présent, les Trois jeunes détectives étaient installés à l'arrière du camion, en route pour Rocky.

Peter avait raconté aux deux autres tout ce qui lui était arrivé depuis son départ de la *Féerie de la Mer.* Etendu sur le dos, les bras repliés sous la tête, il goûtait un repos bien mérité.

« A peu près sûr, répondit-il d'un ton endormi. Je n'en mettrais pas ma main au feu, mais je suis persuadé que ce gars-là vient du Sud. »

Hannibal inclina la tête. Il pinçait sa lèvre inférieure. Son esprit tournait en rond comme un écureuil dans sa roue. Tout cela n'avait aucun sens. Un homme qui leur proposait cent dollars pour retrouver une baleine qui était en train de prendre un bain dans sa propre piscine? Absurde.

Mais Hannibal se garda de faire part de ses réflexions à ses amis. Il espérait trouver la réponse après une bonne nuit de sommeil.

On commença par déposer Peter chez lui. Ensuite, ce fut le tour de Bob. Puis Hans ramena Hannibal à la maison des Jones, qui faisait face au bric-à-brac. Les Trois jeunes détectives avaient décidé de se réunir le lendemain matin au Q. G., dès qu'ils pourraient se libérer.

Bob arriva le dernier. Il allait partir quand sa mère l'avait rappelé pour lui demander de l'aider à faire la vaisselle du petit déjeuner.

Il laissa sa bicyclette dans l'atelier d'Hannibal, un atelier en plein air, installé dans un coin de la cour. Près de l'établi, une vieille grille de métal était appuyée à un rempart d'objets de rebut. Bob déplaça la grille. Derrière, débouchait un grand tuyau de tôle. C'était le Tunnel Numéro Deux. Il était entièrement recouvert de vieux meubles et d'objets les plus divers, et aboutissait à une trappe percée dans le plancher de la caravane.

S'étant faufilé dans le tuyau, Bob atteignit la trappe qu'il repoussa avec sa tête. Puis il se hissa dans le bureau où ses deux amis l'attendaient.

Babal trônait derrière son bureau. Peter était vautré dans une vieille chaise à bascule. Il avait posé les pieds sur un tiroir ouvert du classeur. Le silence régnait. Bob s'assit sur un tabouret et s'adossa au mur.

Ce fut Hannibal qui, comme d'habitude, ouvrit les débats.

« Lorsqu'on essaie de résoudre un problème et qu'on se heurte à un mur, commença-t-il d'un ton méditatif qui lui servait à penser à voix haute, on se trouve en présence de deux possibilités. Enfoncer le mur avec sa tête ou le contourner.

— Ça signifie quoi, ça ? demanda Peter. Je veux dire : tu ne pourrais pas traduire en langage courant ?

— En langage courant, ça se dit : " votre spécialiste de la pêche en haute mer. "

— On n'a qu'à appeler Diego Carmel, alors, dit Bob sans enthousiasme. Je ne vois pas à quoi ça peut servir, mais ça ne peut pas faire de mal.

— Je n'ai pas arrêté de l'appeler depuis le petit déjeuner, répondit Hannibal. Toujours pas de réponse.

— C'est parce qu'il doit y être, en haute mer, dit Peter. Tu sais : il arrive que des gens ne répondent pas au téléphone pour la simple raison qu'ils ne sont pas chez eux. »

Hannibal ne l'écoutait pas.

« Moi, dit-il à Bob, je crois que ça peut servir à quelque chose. Lundi, Constance Carmel a dû recevoir un message au sujet de la baleine échouée sur la plage.

— La baleine s'appelle Fluke, précisa Peter. Il n'y a qu'à l'appeler par son nom.

— Un message au sujet d'une baleine appelée Fluke échouée sur la plage, acquiesça Hannibal. Si le message a été transmis par téléphone, ce n'est pas par la *Féerie de la Mer*, qui était fermée ce jour-là. Ni par Arturo Carmel, dont le numéro n'est plus en service.

— Ni par le monastère de frère Benedict, ajouta Bob.

— Il ne reste plus qu'un Carmel dans l'annuaire : Diego Carmel, qui habite San Pedro et loue son bateau pour des expéditions de pêche. C'est peut-être un parent de Constance, et c'est peut-être chez lui qu'on l'a appelée.

— En outre, Constance a dit à Slater qu'elle l'aidait à cause de son père, c'est bien ça? questionna Bob.

— Exactement, dit Peter. Diego est peut-être le père de Constance. Mais rien ne le prouve. Et de toute manière, ça n'explique rien du tout.

— C'est pourquoi je parlais de mur, précisa Hannibal. Constance Carmel et Slater ne nous diront rien. Elle nous ment, et lui aussi, sans doute. Mais si nous ne pouvons rien apprendre d'eux, nous pouvons peut-être apprendre des choses sur eux. Bref nous allons faire un saut à San Pedro et nous discuterons avec Diego Carmel, dans l'espoir qu'il y a un lien entre lui et Constance.

— Et s'il est à la pêche? objecta Peter.

— Nous parlerons à ses voisins et aux autres pêcheurs. Nous verrons s'ils ont entendu parler de Constance, si Diego a un ami nommé Slater, et si ce ne sont pas ces deux compères que nous avons vus en bateau lundi, après avoir sauvé Fluke.

— D'accord, dit Peter en se levant. C'est assez hasardeux, mais je vote tout de même pour qu'on essaie de ce côté-là. A San Pedro! Mais dites donc, comment y va-t-on, à San Pedro? Ça doit bien faire cinquante kilomètres. On appelle Worthington?»

Peter pensait à un chauffeur qui travaillait

dans une agence de location de voitures, et qui rendait souvent service aux garçons.

« Impossible, dit Hannibal. Worthington est en vacances.

— Alors comment fait-on ? demanda Peter. Dans la journée, Hans et son frère sont beaucoup trop occupés...

— Il y a toujours Pancho », dit Hannibal.

Il regarda sa montre.

« Et Pancho devrait arriver dans quelques instants. »

Pancho était un jeune Mexicain que les Trois jeunes détectives avaient tiré d'affaire lorsque la police l'avait soupçonné de voler des pièces de rechange dans le garage où il travaillait.

Pancho était fou de voitures. Il gagnait sa vie en achetant de vieilles automobiles accidentées pour récupérer le moteur de l'une, la carrosserie d'une autre et les roues d'une troisième et les monter ensemble. Le résultat ressemblait plus souvent à un dinosaure qu'à une Cadillac, mais Pancho était un excellent mécanicien et ses voitures rafistolées marchaient si bien que des étudiants de Santa Barbara et même de Berkeley venaient lui en acheter.

Il était reconnaissant aux Trois jeunes détectives d'avoir prouvé son innocence — sans eux, il aurait sans doute encore été en prison — et il les conduisait avec plaisir quand ils le lui demandaient.

Les trois garçons l'attendirent dans la cour. Quelques instants plus tard, Pancho arrivait au volant de sa nouvelle Ford-Chevrolet-Volkswagen. Jamais les trois garçons n'avaient vu plus étrange véhicule. Les roues arrière étaient beaucoup plus grandes que les roues avant, si bien que la voiture était en pente : Peter trouva qu'elle ressemblait à un taureau qui baisse la tête pour charger.

De fait, elle était aussi robuste qu'un taureau. Sur l'autoroute qui menait à San Pedro, Pancho atteignit facilement les cent kilomètres à l'heure, et il ne poussait pas son moteur à fond.

Pancho trouva bientôt la rue St. Peter, où, d'après l'annuaire du téléphone, résidait Diego Carmel. Il laissa les garçons descendre et leur donna rendez-vous pour trois heures. Il avait l'intention de voir s'il n'y avait pas quelques voitures d'occasion intéressantes dans le quartier.

La rue St. Peter se trouvait près des docks. On y voyait surtout de vieilles maisons de bois en mauvais état et des boutiques faisant commerce d'équipement de pêche et d'appâts, ou d'épicerie et de bonbons. La maison de Diego Carmel était à mi-chemin du bout de la rue. Mieux tenue que les autres, elle comprenait deux étages et un bureau au rez-de-chaussée.

Sur la fenêtre du bureau, on lisait

PÊCHE EN HAUTE MER

Par la vitre, Hannibal aperçut une table de travail avec un téléphone, quelques chaises de bois, et, accrochés à un portemanteau, des costumes de plongée avec leur équipement.

Les garçons allaient entrer quand la porte du bureau s'ouvrit. Un homme en sortit et la referma à clef. Il regarda Hannibal d'un air légèrement surpris et mit rapidement la clef dans sa poche.

« Vous désirez ? » demanda-t-il.

Il était très grand, très maigre ; il avait les

épaules étroites, tombantes; son visage était ridé et réfléchi. Il portait un vieux complet bleu, une chemise blanche et une cravate foncée.

Hannibal avait pris l'habitude d'observer les vêtements et l'apparence des gens, afin d'en déduire des renseignements sur leur personnalité. Si on lui avait demandé quel était le métier de cet homme, il aurait répondu «comptable» ou «employé de commerce»... A moins que ce ne fût «horloger», se dit Hannibal en remarquant l'œil droit de l'inconnu.

Sous cet œil-là — et sous celui-ci seulement — la peau était froncée de manière à former un pli étrange. On aurait presque dit une cicatrice. Etait-ce la trace d'un monocle, ou, plus vraisemblablement, d'une loupe, comme les horlogers en portent une vissée dans l'œil, du matin au soir?

«Nous cherchons M. Diego Carmel, répondit le détective en chef poliment.

— Oui?

— Vous êtes M. Carmel?

— Je suis le capitaine Carmel, oui.»

L'homme pivota à moitié. Le téléphone venait de sonner dans le bureau. Un instant on put penser que le capitaine allait rouvrir la porte pour répondre. Puis il haussa les épaules d'un air désespéré.

«A quoi bon? soupira-t-il. J'ai perdu mon bateau la semaine dernière, lors de la grande tempête. Les gens téléphonent, ils veulent aller à la pêche, et moi, je n'ai plus de bateau.

— Nous sommes désolés, dit Bob. Nous ne savions pas.

— Vous aussi, vous vouliez aller à la pêche, les garçons ? »

Le capitaine Carmel avait une curieuse façon de parler. Impossible de dire qu'il avait l'accent étranger. Et pourtant, dans sa manière de choisir ses mots, quelque chose donnait à penser que l'anglais n'était pas sa langue maternelle.

Peut-être était-il originaire du Mexique, pensa Bob. Mais dans ce cas, il aurait passé la plus grande partie de sa vie aux Etats-Unis.

« Non, pas du tout. Nous voulions simplement vous parler, monsieur, dit Hannibal. Nous avons un message pour vous. De la part de votre fille.

— De ma fille ? »

Le capitaine paraissait surpris.

« Ah ! vous voulez dire Constance.

— Mais oui. »

Hannibal essayait de cacher son ravissement. Son intuition ne l'avait pas trompé. Le capitaine Carmel était bien le père de Constance Carmel.

« Et de quel message s'agit-il ?

— Oh ! rien d'important. Simplement, nous l'avons vue à la *Féerie de la Mer* ce matin et elle nous a demandé de vous dire qu'elle devrait peut-être travailler un peu plus tard ce soir.

— Je vois. »

Le capitaine détailla les garçons du regard.

« Vous devez être les Trois jeunes détectives », dit-il.

Peter fit oui de la tête. Il se demandait comment le capitaine avait fait pour les reconnaître. Mais il se rappela que Babal avait donné une de leurs cartes à Constance. Elle avait dû en parler à son père. Et sans doute les avait-elle décrits, ce qui n'était guère difficile, surtout le gros Babal avec sa physionomie toute ronde!

« Ravi de vous rencontrer », dit le capitaine Carmel en tendant la main.

Les détectives la serrèrent à tour de rôle.

Le capitaine souriait.

« J'ai une idée, fit-il. On pourrait aller manger un hamburger tous ensemble. Qu'en pensez-vous ?

— Du bien », répondit Peter.

Il pensait toujours du bien d'un hamburger et il remercia le capitaine au nom du trio.

M. Carmel connaissait un petit restaurant au bout de la rue. On fut bientôt installé. Pendant que les garçons avalaient leurs hamburgers — qui se révélèrent excellents —, le capitaine leur raconta la tempête et la disparition de son bateau.

Il avait emmené un certain Oscar Slater pêcher au large de la California Baja. Ils étaient sur le chemin du retour lorsque la tempête s'était abattue sur eux à quelques kilomètres de la côte. Le capitaine avait fait tout son possible pour rentrer au port, mais la mer était trop grosse. Le bateau s'était empli d'eau et avait coulé. Oscar Slater et lui-même avaient eu de la chance de s'en tirer vivants. Ils avaient nagé pendant des heures, grâce à leurs gilets de sauvetage, jusqu'au moment où un navire garde-côtes les avait repérés.

Peter et Bob exprimèrent leurs condoléances. Bob allait demander si le bateau était assuré, mais Hannibal l'interrompit.

« C'est votre fille qui est une superbe nageuse, monsieur, dit-il. C'est prodigieux, la manière dont elle dresse ses baleines!

— Oui, c'est son métier.

— Y a-t-il longtemps qu'elle fait cela?» demanda Bob.

Il voyait que Babal voulait amener le capitaine à parler de sa fille.

«Plusieurs années.

— Cela doit être difficile pour elle de travailler si loin de la maison. Tout ce chemin à faire tous les jours, pour aller à la *Féerie de la Mer*! dit Hannibal.

— Si loin d'où?

— Je croyais qu'elle habitait ici avec vous...»

Le capitaine fit un signe de tête imprécis. Il semblait penser à autre chose. Il termina son café. Puis il parla lentement et distinctement, comme s'il voulait être sûr que les Trois jeunes détectives se rappelleraient ce qu'il disait :

«Il se trouve que M. Slater s'intéresse aussi au dressage des baleines. C'est très curieux. Il possède une maison dans les collines au-dessus de Santa Monica.»

Il précisa l'adresse, que les détectives connaissaient déjà.

«Et il a une piscine derrière sa maison. Une très grande piscine. Très, très grande.»

Il n'ajouta pas un mot jusqu'au moment où ils furent tous sortis. Puis, ayant serré la main des garçons, il leur dit qu'il espérait les revoir bientôt.

Les détectives le remercièrent pour le déjeuner et exprimèrent le même espoir. Hannibal avait les sourcils froncés et il se pinçait sauvagement la lèvre en regardant la haute et mince silhouette s'éloigner.

«Voilà un chic bonhomme, dit Peter. Dommage, ce qui est arrivé à son rafiot.

— Hum... »

Hannibal était toujours plongé dans ses réflexions lorsque Pancho rejoignit les garçons pour les ramener à Rocky.

« Vous avez perdidé beaucoup de temps ? leur demanda-t-il d'un ton compatissant en s'engageant sur l'autoroute.

— Comment cela, nous avons perdu notre temps ? » s'étonna Bob.

Lui et Peter étaient juchés sur le siège arrière. Ils avaient l'impression de se trouver sur la plate-forme supérieure d'un autocar, tandis que Pancho et Babal occupaient le niveau inférieur.

« Eh bien, vous n'avez pas trovaté le capitaine Diego Carmel.

— Mais si, nous l'avons trouvé ! répliqua Peter. Il nous a même offert des hamburgers.

— Comment ? »

Pancho pivota à moitié sur son siège.

« Non, fit-il, vous pas podidé trouver le. J'ai rencontradé des amis mexicains à moi dans le magasin des autos occasionnelles. Ils ont racontadé tout à moi sur le pauvre capitaine Carmel. Le bateau de lui a couladé.

— Nous le savons, répondit Bob. Il nous l'a dit lui-même.

— Non, lui n'a pas podidé diché. Peut-être quelqu'un d'autre a diché.

— Mais enfin, pourquoi pas ? »

C'était la première fois qu'Hannibal prenait la parole depuis le départ du capitaine. Et il regardait Pancho d'un drôle d'air, comme s'il connaissait déjà la réponse du jeune Mexicain.

« Parce que le capitaine, il est à l'hospital, expliqua Pancho. Le capitaine, il est très infirme. Il a attrapadé une pneumonie dans l'eau. Peut-être il va se mourir.»

Et, avec un haussement d'épaule de commisération, il ajouta :

«Pauvre capitaine Diego Carmel! Lui, il n'a pas podidé racontradé rien à personne.»

Chapitre 5

Cartes sur table

« Si ce n'était pas le capitaine Carmel, demanda Peter, pourquoi se faisait-il passer pour lui ? »

Les Trois jeunes détectives étaient rentrés au Q.G. pour examiner la situation.

« Et qui était-il en réalité ? » ajouta Bob.

Hannibal ne répondit pas. Il se tenait renversé dans son fauteuil à pivot et son visage exprimait la plus intense concentration.

« Ce n'est pas agréable à dire, prononça-t-il enfin, mais je suis le dernier des imbéciles, des idiots, des bêtes, des nigauds et des niquedouilles. »

Bob aurait bien voulu savoir pourquoi, mais, s'il posait cette question, il aurait l'air d'être d'accord avec le jugement que le détective en chef venait de porter sur lui-même. Il décida donc d'attendre des explications.

« Je n'ai pas voulu écouter ce que me disait mon cerveau, poursuivit Hannibal. Je n'ai pas voulu croire ce que voyaient mes yeux. Quand j'ai vu l'homme qui sortait de chez le capitaine Carmel, j'ai compris immédiatement que ce n'était pas un marin. Il n'était pas habillé comme un marin. Il n'avait ni les mains ni la carrure d'un marin. De plus, avez-vous remarqué son œil droit ?

— Cette espèce de pli qu'il a dessous ? demanda Bob. Oui, je l'ai remarqué. J'ai même cru d'abord... Tu te rappelles cet Anglais dont nous avons fait la connaissance l'an dernier ?

— Celui qui portait un monocle, dit Hannibal avec un hochement de tête approbateur. C'est ce que j'ai pensé aussi d'abord. Puis je me suis dit qu'il pouvait être joaillier ou horloger. Et ensuite, quand il est devenu si gentil et qu'il nous a offert à déjeuner, je n'ai plus pensé à rien. J'étais assis là, comme une chouette retardée mentale, je l'écoutais... »

Hannibal avait rougi jusqu'aux oreilles. Rougi de honte.

« ... Et je croyais tout ce qu'il nous racontait. Je buvais ça comme du petit lait. Je...

— Mais nous aussi, dit Bob. Nous aussi. »

Hannibal n'allait pas continuer à se désoler pour si peu ? Bon, les détectives avaient été bernés, mais maintenant, grâce à Pancho, ils savaient où ils en étaient. Il n'y avait qu'à repartir de là.

« L'important, ce n'est pas que le gars nous ait menti. C'est...

— C'est quoi ? interrompit Peter.

— C'est qu'il nous a raconté des tas de choses vraies. Il nous a dit que le capitaine Carmel avait perdu son bateau dans une tempête. Et nous savons que c'est vrai, parce que les amis mexicains de Pancho l'ont confirmé. Il nous a donné l'adresse d'Oscar Slater, sa véritable adresse. Et pour finir... »

Bob n'avait pas les capacités de déduction d'Hannibal, mais sa mémoire était excellente.

« Et pour finir il nous a dit que M. Slater s'intéressait beaucoup au dressage des baleines et qu'il avait une piscine gigantesque derrière sa maison.

— Ce qui est exact, précisa Peter.

— Il nous a même débité tout cela d'une drôle de façon, ajouta Hannibal. Il insistait sur chaque point. Il voulait que nous enregistrions tout. Mais cela n'explique pas pourquoi il s'est fait passer pour le père de Constance, à moins que... »

Pendant une bonne minute, Hannibal resta silencieux. Il réfléchissait. Il cherchait à se rappeler la façon dont l'homme était sorti du bureau, refermant la porte derrière lui, et l'expression de surprise qui s'était peinte sur son visage quand il avait vu les trois garçons debout sur le trottoir.

« A moins qu'il n'ait été en train d'espionner les affaires du capitaine Carmel, dit enfin Hannibal. Il venait peut-être de fouiller le bureau, ou même toute la maison.

— Pour quoi faire ? demanda Bob. Il n'avait pas l'air d'un voleur. Qu'est-ce qu'il aurait bien pu chercher ?

— Des renseignements, répondit Hannibal. Il a pu venir à San Pedro pour la même raison que nous. Pour voir ce qu'il pourrait apprendre sur Constance et le capitaine. Quand il est sorti et qu'il nous a aperçus, il a dit la première chose qui lui soit passée par la tête pour expliquer sa présence. Il a dit que le capitaine, c'était lui. »

Le détective en chef bondit sur ses courtes jambes.

« Bon, dit-il. On y va. »

Peter ôta ses pieds du classeur et se leva à son tour.

« On va où ? demanda-t-il d'un ton plaintif. Si nous allons chez Slater à bicyclette, je vote pour emporter de l'approvisionnement. Un bon sandwich ou deux par personne, comme ta tante Mathilde sait les faire : avec du jambon et du gruyère et du pain de seigle...

— Pas question ! répliqua Hannibal qui soulevait déjà la trappe du Tunnel Numéro Deux. D'ailleurs, nous n'allons pas chez Slater, mais seulement jusqu'à la *Féerie de la Mer.* Nous avons deux mots à dire à Constance Carmel. »

Il s'arrêta avant de s'engouffrer dans le tunnel.

« L'heure a sonné de mettre cartes sur table ! » annonça-t-il.

Les Trois jeunes détectives arrivèrent à la *Féerie de la Mer* bien avant l'heure de fermeture. Ils attendirent Constance Carmel près de sa camionnette blanche.

Il faisait frisquet ce soir-là, et lorsque Constance franchit la grille du parking, elle portait un peignoir de bain sur le bras. Pour le reste, elle paraissait aussi indifférente au froid qu'un pingouin. Elle était habillée comme d'habitude d'un costume de bain et de sandales ouvertes.

« Salut, dit-elle en s'arrêtant devant les trois garçons. C'est moi que vous cherchez ? »

Hannibal s'avança :

« Mademoiselle Carmel, je sais qu'il est un

peu tard, et vous devez être fatiguée. Mais pouvez-vous nous accorder quelques minutes?

— Je ne suis pas fatiguée.»

Constance toisa Hannibal de haut en bas : elle devait avoir quinze bons centimètres de plus que lui.

«Je ne suis pas fatiguée, mais je suis pressée. Revenez demain, voulez-vous?

— Nous préférerions vous parler tout de suite, dit le détective en chef en se redressant de son mètre soixante-deux et demi. L'heure a sonné de...

— Demain, répéta Constance. Vers midi.»

Elle fit un pas en avant, comme si elle croyait qu'Hannibal allait lui céder le passage.

Mais Hannibal n'en fit rien. Il ne bougea pas, inspira une longue gorgée d'air et prononça un seul mot. Il le prononça haut et clair :

«Fluke.»

Constance Carmel s'arrêta et mit ses poings sur ses hanches.

Elle regardait Hannibal d'un air menaçant.

«Qu'est-ce que vous lui voulez, à Fluke? demanda-t-elle.

— Nous ne lui voulons rien, répondit Hannibal en s'efforçant de sourire. Nous sommes ravis de savoir qu'elle aime la piscine de M. Slater, et nous n'ignorons pas que vous êtes aux petits soins pour elle. Mais il y a tout de même un ou deux points que nous aimerions éclaircir.

— Nous voulons vous aider, mademoiselle, intervint poliment Bob. Je vous le promets.

— M'aider?»

C'était Bob que Constance défiait maintenant du regard.

«Comment prétendez-vous m'aider?

— Nous pensons que quelqu'un vous espionne, dit Peter. Nous avons vu un homme sortir du bureau du capitaine Carmel, à San Pedro, aujourd'hui même, et quand il a vu que nous l'observions, il a prétendu qu'il était votre père.

— Ce qu'il ne pouvait pas être, conclut Hannibal, parce que votre père a perdu son bateau la semaine dernière, dans une tempête, et qu'il se trouve actuellement à l'hôpital. »

Constance Carmel hésita. Elle semblait repasser dans son esprit tout ce qu'elle venait d'apprendre et chercher la marche à suivre. Enfin elle sourit :

« Alors c'est vrai, dit-elle, que vous êtes des détectives ?

— Comme notre carte l'indique, répondit Peter, en lui rendant son sourire.

— Bon, dit Constance Carmel, en tirant ses clefs de voiture de la poche de son peignoir. Venez avec moi et discutons en route.

— Très volontiers, mademoiselle. Vous êtes très aimable, répliqua Hannibal.

— Appelez-moi Constance, fit la jeune fille en ouvrant la portière. Et moi, je vous appellerai Hannibal. D'accord ?

— Pas Hannibal. Babal.

— D'accord, Babal. »

Elle regarda Peter :

« Et vous, vous êtes Bob ?

— Non. Peter.

— Bob, c'est moi, expliqua Bob.

— Babal, Peter et Bob. Compris, dit Constance en adressant un sourire à chacun des garçons. En voiture ! »

Il n'y avait pas assez de place pour quatre dans la cabine.

«Je vais monter derrière, dit Peter. Tu me raconteras plus tard, Babal.»

Hannibal s'installa à côté de Constance et Bob à côté d'Hannibal. La jeune femme semblait pensive et elle ne dit pas un mot jusqu'à ce qu'elle eût atteint la grand-route.

«Cet homme qui sortait du bureau de mon père, de quoi avait-il l'air?» demanda-t-elle enfin en s'arrêtant à un feu rouge.

Hannibal décrivit le long homme maigre avec un pli sous l'œil droit et il répéta à Constance tout ce que l'homme leur avait raconté.

Constance secoua la tête.

«Je ne connais personne qui lui ressemble. C'est peut-être un ami de papa. Ou bien... ou bien au contraire, quelqu'un qui chercherait à lui faire du mal?»

Le feu passa au vert. Constance redémarra.

«Bon, fit-elle. Que voulez-vous que je vous raconte?

— Tout depuis le début, dit Hannibal. Vous pourriez commencer le lundi matin où M. Slater vous a téléphoné à San Pedro pour vous dire qu'il avait repéré une baleine échouée sur la côte. Il l'avait vue avec ses jumelles alors qu'il se trouvait à bord d'un bateau...»

Chapitre 6

Une cargaison perdue

«Je venais de rentrer de l'hôpital où j'étais allée voir mon père, raconta Constance. Le téléphone sonnait dans son bureau et j'ai décroché. C'était Oscar Slater. Il est originaire du Sud de l'Alabama, je crois. Je l'avais rencontré deux ou trois fois, parce que papa l'avait emmené à la pêche. Avant d'avoir perdu son bateau, bien sûr. Slater m'a annoncé qu'il avait trouvé une baleine échouée sur la plage.»

Un nouveau sauvetage avait eu lieu. Constance avait appelé deux amis mexicains qui possédaient un camion de dépannage. Ils avaient accroché un grand filin à la grue, et ils étaient allés chercher la baleine sur la plage, à l'endroit où Oscar Slater les attendait.

Une fois la baleine hissée dans le camion à l'aide de la grue, Constance l'avait emballée dans de la mousse de plastique mouillée. On avait conduit la baleine chez Slater, et on l'avait mise à l'eau dans la piscine. Les Mexicains étaient repartis, et Constance avait commencé à lier amitié avec Fluke — c'est ainsi qu'elle avait baptisé la baleine — en nageant et en jouant avec elle.

Oscar Slater était allé chercher du poisson vivant dans un magasin que Constance connaissait, et tout s'était bien passé jusqu'à son retour. Fluke paraissait reconnaissante des manières amicales de Constance et elle avait l'air de s'acclimater à son nouveau royaume.

« Evidemment, toutes les baleines sont très intelligentes, dit Constance, tout en amorçant la montée vers Santa Monica. D'une certaine manière, elles sont même beaucoup plus intelligentes que les humains, parce qu'elles ont un cerveau beaucoup plus volumineux. Mais Fluke... au premier coup d'œil, j'ai vu que c'était un sujet exceptionnel. J'ai dressé des tas de baleines depuis des années, mais Fluke est la plus brillante que j'aie jamais rencontrée. Elle n'a que deux ans — ce qui correspond à un âge mental de cinq ans pour un être humain, car la plupart des baleines sont adultes à six ou sept ans. Mais elle est infiniment plus éveillée que n'importe quel enfant de dix ans que j'aie vu. »

Constance continua en racontant ce qui s'était passé chez Oscar Slater durant cette première journée. Elle avait donné à Fluke les poissons que Slater avait rapportés. Puis elle avait décidé de rentrer à San Pedro et de passer par l'hôpital pour avoir des nouvelles de son père. Elle avait donc demandé à Slater de la conduire. Mais lui, debout au bord de la piscine, sa tête chauve réfléchissant le soleil, restait là à la regarder d'un drôle d'air...

« Je vais demander à la *Féerie de la Mer*

d'envoyer des spécialistes demain, lui dit-elle. Ils décideront probablement de remettre Fluke à la mer. Ou peut-être de la garder un jour ou deux. De toute manière, elle ne court plus aucun risque. »

Elle avait tourné le dos à la piscine et allait regagner sa voiture, quand Oscar Slater l'arrêta.

« Un instant, Constance. Il y a une chose qu'il faut que vous sachiez. Une chose qui concerne votre père. »

Elle n'avait jamais eu de sympathie pour Oscar Slater. En fait, elle ne s'était jamais beaucoup souciée de lui. Elle eut l'impression de le découvrir pour la première fois, et elle se rendit compte qu'il lui était profondément antipathique.

« Qu'est-ce qui concerne mon père ? demanda-t-elle.

— C'est un contrebandier. Depuis des années, il importe des magnétophones, des mini-radios et toute sorte d'appareillage électronique au Mexique et il revend tout ça trois ou quatre fois plus cher qu'il ne l'a payé. »

Constance ne répondit pas. Elle ne voulait pas croire ce que Slater lui racontait. Il était vrai, pourtant, qu'elle avait entendu son père prononcer une ou deux paroles ambiguës de temps en temps. Elle l'aimait, bien sûr ; il avait été merveilleux pour elle, surtout depuis que sa mère était morte. Mais enfin, elle ne le prenait pas exactement pour un citoyen modèle.

« Sa dernière cargaison était plus grosse que les autres, poursuivit Slater. C'étaient surtout des calculettes de poche, qui se vendent très cher au Mexique. Elles ont toutes sombré avec le bateau.»

Constance ne voyait toujours pas où Slater voulait en venir.

«Il doit y en avoir pour vingt ou trente mille dollars, qui ont été perdus dans ce naufrage, reprit Slater. La moitié de cet argent m'appartient. Votre père et moi, nous réalisions l'opération moitié-moitié. Les calculettes ne risquent rien, bien qu'elles soient au fond de l'eau ; elles sont dans un conteneur étanche. Et j'ai l'intention de remettre la main dessus. Je vais récupérer l'épave, et vous allez m'y aider!»

Sa voix traînante était devenue sinistre.

«Vous allez m'aider, vous et votre baleine. N'est-ce pas que vous allez le faire, Constance?»

Elle réfléchit calmement avant de donner sa réponse.

Du point de vue américain, son père n'avait commis aucun délit. Aucune loi n'interdit d'exporter des magnétophones ou des calculettes une fois qu'on les a payés. Donc, si Slater essayait de la faire chanter en la menaçant de la police américaine, il perdait son temps. Quant aux autorités mexicaines elles ne pouvaient rien faire non plus, puisqu'elles n'avaient pas pris le capitaine Carmel en flagrant délit.

Le problème était ailleurs. Optimiste et distrait, son père avait oublié de payer l'assurance du bateau. Il n'avait pas non plus d'assurance médicale, et son séjour à l'hôpital allait coûter des centaines de dollars par jour. Si elle aidait Slater à récupérer sa marchandise, son père toucherait la moitié du bénéfice. Dix ou quinze mille dollars, ce n'est pas rien quand il faut régler l'hôpital[1].

En outre, elle non plus ne commettrait aucun délit. Elle n'avait pas de sympathie pour Slater. Plus elle le voyait, moins elle en avait. Mais quel mal y aurait-il à l'aider à récupérer son bien?

« Alors j'ai dit oui, acheva Constance en engageant sa camionnette dans les collines. Voilà où nous en sommes maintenant. J'essaie de dresser Fluke pour qu'elle nous retrouve cette épave. »

Depuis qu'on avait quitté la route du Pacifique, Hannibal n'avait pas dit un mot. Et il garda encore le silence pendant une bonne minute.

« Voilà donc à quoi doit servir le harnais que vous avez passé au cou de Fluke, dit-il enfin. Vous allez y attacher une caméra de télévision. Les baleines plongent plus vite et plus loin que les hommes. Fluke couvrira plus de fond océanique en moins de temps, et il y a plus de chances pour que la caméra dont elle sera équipée repère l'épave du bateau de votre père. »

Constance sourit :

« Vous, je dirai que, pour un être humain, vous êtes passablement intelligent.

— Tout le monde ne peut pas être aussi intelligent qu'une baleine, répliqua Hannibal en souriant lui aussi.

— A votre tour, dit Constance, en le regardant droit dans les yeux. Racontez-moi votre histoire. Pourquoi vous intéressez-vous tellement à Fluke? Qu'est-ce que vous recherchez au juste? »

---

1. La Sécurité Sociale ne fonctionne pas aux États-Unis comme en France. (Note du traducteur.)

Hannibal pensa au correspondant anonyme qui avait promis à l'agence la somme de cent dollars. Il voulait montrer à Constance autant de franchise qu'elle en avait eu à son égard et il se dit qu'il ne trahissait la confiance de personne en racontant la vérité.

« Nous avons un client, expliqua-t-il. Je ne peux pas vous dire son nom, parce que je ne le connais pas. Mais il nous a engagés et il nous a promis de jolis honoraires au cas où nous retrouverions cette baleine et la remettrions à la mer.

— La remettre à la mer? demanda Constance. Mais pourquoi? Pour quoi faire?

— Je ne sais pas, admit Hannibal. Je veux dire que je ne le sais pas encore.

— Eh bien, vous avez déjà fait la moitié de votre travail. Vous avez retrouvé Fluke. »

Constance gara sa voiture devant la maison de Slater.

« Maintenant, vous pourriez m'aider à faire le mien, acheva-t-elle.

— Volontiers, répondit Bob. Mais comment?

— Vous avez déjà fait de la plongée sous-marine? »

Oui, les Trois jeunes détectives en avaient fait. Peter était le plus doué, mais ses camarades aussi avaient suivi des cours et passé un examen.

« Très bien, dit Constance. Alors, nous pouvons tous travailler ensemble. J'ai l'intention de remettre Fluke dans l'océan dès que je pourrai. En fait, dès que je sentirai qu'elle m'aime assez pour ne pas s'échapper. Après cela, vous m'aiderez à remettre la main sur le bateau de papa. D'accord?

— D'accord », répondirent Bob et Babal d'une seule voix.

La solution leur paraissait excellente. Non seulement ils gagneraient leurs honoraires, mais ils auraient le plaisir de chercher un bateau sous la mer et d'en récupérer la cargaison.

« Alors, allons-y, dit Constance en ouvrant la portière. Venez dire bonjour à Fluke. »

La petite baleine somnolait à la surface de la piscine, les yeux fermés et l'évent hors de l'eau. Elle se réveilla dès que Constance eut allumé les lumières sous-marines. Elle nagea vers la jeune femme, leva la tête et battit des nageoires pour montrer sa joie.

Elle sembla reconnaître aussi les jeunes détectives. Quand ils s'agenouillèrent au bord de la piscine, elle vint leur dire bonjour à tous les trois en les touchant de ses lèvres froncées.

« Mince alors ! s'écria Peter. On dirait qu'elle nous reconnaît.

— Bien sûr qu'elle vous reconnaît, fit Constance avec un peu d'impatience. Vous lui avez sauvé la vie. Vous croyez qu'elle pourrait oublier une chose pareille ?

— Mais enfin, ce n'est qu'une... »

Bob, devinant que Peter allait dire que Fluke n'était « qu'une baleine », lui donna un coup de coude dans les côtes pour le faire taire. Puis, se rappelant que Peter n'avait pas assisté au discours de Constance dans la voiture, il le prit à part et le mit au courant.

Constance donna à manger à Fluke. Puis elle commença à mettre ses palmes. Elle venait d'en enfiler une quand elle se retourna.

Deux hommes, sortant de la maison, se dirigeaient vers elle. Hannibal reconnut le premier d'après la description de Peter : c'était Oscar Slater.

Quant au second... les Trois jeunes détectives le connaissaient bien. Très grand, très mince, avec des épaules étroites et, sous l'œil droit un pli, presque une cicatrice, visible malgré le peu de lumière que projetaient les lampes sous-marines, c'était le faux capitaine Carmel de San Pedro.

Constance, furieuse, s'adressa à Slater.

« Vous m'aviez promis de ne pas vous occuper du dressage. Je ne veux pas vous voir près de la piscine tant que l'éducation de Fluke ne sera pas achevée et que je ne serai pas prête à me mettre à la recherche du bateau de papa. »

Slater ne lui répondit pas. Il regardait les détectives.

« Qui sont ces garnements ? demanda-t-il de sa voix traînante.

— Ces garnements sont des amis à moi, expliqua Constance d'un ton froid. Ce sont des plongeurs. J'aurai besoin d'aide et ils ont accepté de travailler avec moi. »

Slater acquiesça de la tête. Hannibal voyait bien que leur présence lui déplaisait. Mais puisque Constance avait besoin d'eux, il fallait bien qu'il en passât par où elle voulait.

« Et votre ami, lui, qui est-ce ? » demanda Constance en regardant le grand homme maigre qui se tenait près de Slater.

« Je m'appelle Dunter, se présenta-t-il. Paul Dunter. Je suis un vieil ami de M. Slater. Et aussi un ami de votre père, mademoiselle Carmel. »

Il ajouta, avec un sourire :

« Un ami du Mexique.

— Bon, ça va. »

Hannibal voyait bien que le nom ne rappelait rien à Constance. Elle n'avait jamais vu cet homme-là. Mais son sourire quand il avait dit «un ami du Mexique» signifiait qu'elle n'avait pas à s'inquiéter. Il connaissait la petite contrebande à laquelle son père se livrait et n'y voyait apparemment aucun mal.

Paul Dunter souriait toujours en se tournant vers les Trois jeunes détectives.

«Alors, vous êtes plongeurs? leur dit-il. Vous travaillez à la *Féerie de la Mer* avec Mlle Carmel?

— De temps en temps, répondit Constance. Quand j'ai besoin d'extra. Au fait, je regrette : j'ai oublié de vous présenter. Hannibal, Peter, Bob.

— Enchanté de faire votre connaissance.»

Le long M. Dunter serra la main des trois garçons sans trahir d'aucune manière qu'il les reconnaissait.

Ou bien il n'avait pas plus de mémoire qu'un somnambule ou bien il ne voulait pas que Slater sût qu'il avait déjà rencontré les garçons.

Mais, dans ce cas, se dit Babal, c'était donc que Dunter avait quelque chose à cacher.

Quoi?

Chapitre 7

Virage dangereux

« Paul Dunter, murmura Hannibal. Quelle est la place de Paul Dunter dans le puzzle ? »

C'était à lui-même qu'il posait la question, et non pas à ses camarades. Tous trois pourtant attendaient impatiemment à la porte du *Paradis de la Brocante*. Constance — qu'ils avaient quittée la veille — leur avait promis de prendre un après-midi de congé et de venir les chercher avec sa camionnette après déjeuner.

« Car je suis sûr qu'il y a sa place, reprit Hannibal. Constance n'avait jamais entendu parler de Dunter jusqu'au moment où elle l'a vu hier chez Slater, mais lui a l'air de tout savoir sur les occupations de M. Carmel au Mexique.

— Et il espionnait la maison de M. Carmel, ajouta Bob.

— Précisément, acquiesça Hannibal. En outre, c'est un vieil ami de Slater. C'est peut-être lui qui était dans le bateau avec Slater quand il nous a vus sauver Fluke.

— Pas un ami très sincère en tout cas, remarqua Bob. Il n'a pas dit à Slater qu'il nous avait rencontrés à San Pedro.

— Une chose est certaine, déclara Peter. Il en sait plus sur nous que nous n'en savons sur lui. Il nous a reconnus immédiatement comme les Trois jeunes détectives quand il nous a vus pour la première fois.

— Si vous voulez mon avis, commença Hannibal bien que personne ne le lui eût demandé, je pense qu'il sait tout. La contrebande, la tempête, les calculettes perdues, les projets de Slater au sujet de Fluke. Il sait tout, mais lui, que veut-il ? »

A ce moment, la camionnette blanche de Constance s'arrêta à la grille. Les Trois jeunes détectives montèrent à bord. Hannibal, qui s'installa à côté de Constance, avait une petite boîte de métal à la main. Il la donna à la jeune fille.

« J'espère que c'est ce que vous vouliez.

— C'est déjà prêt ? »

Visiblement, elle était ravie.

Hannibal hocha la tête affirmativement. Il s'était levé à cinq heures et avait passé la matinée à exécuter les instructions qu'elle lui avait données la veille. Il montra à Constance comment ouvrir la boîte.

A l'intérieur, il y avait un magnétophone à piles avec micro et haut-parleur. Hannibal l'avait bricolé de telle manière que le magnétophone pouvait enregistrer ou émettre même quand la boîte elle-même était hermétiquement fermée.

Il avait essayé son engin dans la baignoire avant l'arrivée de Constance. L'enregistreur fonctionnait parfaitement sous l'eau, sans qu'une seule goutte pénétrât à l'intérieur.

« Vous êtes drôlement fort en électronique! s'extasia Constance.

— Oh! je ne sais pas. C'est juste pour m'amuser », répliqua Hannibal modestement.

En réalité il était certain d'être pour le moins une réincarnation de Thomas Edison quand il inventait ou bricolait quelque chose dans son atelier. Mais ce n'était pas un vantard. Il préférait être jugé sur pièces.

Les Trois jeunes détectives avaient apporté leurs masques de plongée et leurs palmes. Aussitôt arrivés chez Slater, ils enfilèrent leurs maillots de bain et se rendirent à la piscine.

Ni Slater ni son ami Dunter n'étaient visibles.

« Je leur ai dit de nous laisser tranquilles, expliqua Constance. S'ils ne veulent pas, eh bien, moi, je... »

Elle n'acheva pas.

« Vous n'allez pas abandonner l'opération? demanda Bob avec anxiété.

— Je ne peux pas, répondit-elle en haussant les épaules. Papa a trop besoin de cet argent. Il faut que nous retrouvions la cargaison.

— Comment va votre père? s'enquit Peter.

— Il est toujours malade. Mais c'est un costaud. Un vrai *macho* mexicain, ajouta-t-elle avec fierté. Les médecins disent qu'il s'en tirera. On ne me le laisse voir que quelques minutes par jour, et il ne peut pas parler longtemps. D'ailleurs, quand il parle, il dit toujours la même chose. Il dit... »

Elle avait fini d'enfiler ses palmes.

« Après tout, fit-elle, vous êtes détectives. Vous comprendrez peut-être ce que cela signifie. Il dit : “ Attention aux deux grands échalas. Qu’ils s’alignent sur toi. ” »

Elle se laissa glisser dans la piscine et Fluke nagea vers elle pour l’accueillir.

« Les grands échalas, répéta Babal, en se pinçant la lèvre. Qu’ils s’alignent sur toi. »

Il regarda Bob et Peter.

« Ça vous dit quelque chose, à vous autres ?

— Paul Dunter est certainement ce qu’on appelle un grand échalas, répondit Bob. Le capitaine Carmel souhaite peut-être que Dunter s’aligne sur Constance, c’est-à-dire qu’il lui obéisse. Mais quel est l’autre grand échalas ?

— L’expression ne s’applique certainement pas à Slater, qui est tout petit, remarqua Hannibal.

— Tout ça me paraît bien compliqué ! conclut Peter. Hé ! Dites donc ! Regardez-moi ça ! »

Fluke faisait le tour de la piscine à toute allure, et Constance était étendue sur son dos.

Pendant une demi-heure, les garçons observèrent la jeune femme et la baleine jouer ensemble. Au fait, ce n’était pas vraiment un jeu. Bob comprenait bien qu’il s’agissait en réalité d’une séance de travail. Constance dressait Fluke non pas exactement à lui obéir, mais plutôt à deviner au moindre de ses gestes, et même aux expressions de son visage, ce qu’elle souhaitait, et à agir immédiatement en conséquence.

On aurait dit deux grandes amies, pensait Peter. Presque des sœurs. Et si intimes qu’elles connaissaient toujours les pensées l’une de l’autre, qu’elles partageaient les mêmes impulsions et qu'elles agissaient comme une seule personne.

Après avoir donné à manger à Fluke, Constance proposa aux Trois jeunes détectives de la rejoindre dans la piscine : Fluke devait s'habituer à eux et les considérer eux aussi comme des amis.

Au début, Peter n'était pas trop rassuré. C'était curieux de nager à côté de Fluke et de la sentir le pousser, de l'air de lui dire : « Veux-tu jouer avec moi ? » Elle était si grande, la petite baleine, si grosse, si vigoureuse ! Mais si douce aussi. En peu de temps, les garçons se sentirent à l'aise avec elle.

« Bravo, ça marche très bien, leur dit Constance quand ils ressortirent de la piscine. Maintenant, essayons l'enregistreur. »

Fluke flottait à l'autre bout de la piscine. Constance lui avait appris à s'y tenir en attendant qu'on l'appelât.

La jeune fille prit la boîte de métal et mit l'appareil sur « enregistrement ». Puis, ayant fixé à sa taille une ceinture lestée, elle plongea dans l'eau.

Après un instant, Fluke plongea aussi et demeura à son extrémité de la piscine, couchée sur le fond.

Les Trois jeunes détectives observaient Constance avec admiration.

« C'est incroyable, le temps qu'elle peut passer sous l'eau, pensa Hannibal. Et elle avait l'air aussi à l'aise que la tante Mathilde dans son salon. » D'une main, elle tenait l'enregistreur devant elle et elle faisait claquer les doigts de son autre main.

Elle s'arrêta, souriante, la tête penchée de côté.

Après un très long moment — deux bonnes minutes au moins —, elle remonta à la surface et refit le plein d'oxygène.

« Je crois que je l'ai, dit-elle. Voyons ce que cela donne. »

Hannibal enroula la bande et mit l'appareil sur « lecture ».

Au début, on n'entendit que des bruits d'eau, très légers. Puis, un son plus rythmé : c'était Constance qui faisait claquer ses doigts sous l'eau.

Les claquements cessèrent et une espèce de gazouillis retentit. Il montait, il descendait, changeant sans cesse de ton, et il était constamment accompagné par des cliquètements, un peu comme une chanson espagnole est accompagnée par des castagnettes.

Ce n'était pas précisément un gazouillis d'oiseau : c'était plus profond, plus vibrant. Jamais Hannibal n'avait rien entendu de pareil.

Ce fut fini au bout d'une minute, et Constance arrêta l'appareil.

« C'était Fluke ? demanda Bob, très impressionné. C'était Fluke qui chantait pour vous ?

— Elle chantait. Elle parlait. Appelez ça comme vous voulez, répondit Constance. Toutes les baleines communiquent entre elles par le son, et, bien sûr, le son se propage très loin sous l'eau. Nous n'avons jamais réussi à comprendre leur langue, mais si nous y arrivions, nous la trouverions probablement aussi compliquée et aussi pleine de signification que la nôtre. »

Elle s'arrêta, pour enlever ses palmes.

« A cela près, reprit-elle, qu'elles n'ont jamais l'air de se quereller. Elles ne se battent pas non plus. Elles sont bien trop civilisées. Et je suis sûr qu'elles ne se racontent pas de mensonges. Elles ont trop de bon sens. Après tout, à quoi cela sert-il d'avoir une langue si on s'en sert pour dire le contraire de ce qui est vrai ?

— Pourrions-nous réentendre l'enregistrement ? demanda Peter.

— Oui, mais je voudrais que Fluke l'entende d'abord. »

Hannibal enroula de nouveau la bande. Constance s'agenouilla et mit la boîte de métal sous l'eau. Les Trois jeunes détectives observaient Fluke.

La baleine était couchée tranquillement au fond de la piscine. Mais soudain elle se mit à trembler. Ses nageoires se redressèrent. D'un seul élan, elle traversa toute la piscine pour se rapprocher. Bob eut l'impression qu'elle souriait, comme elle l'avait fait lorsque les garçons avaient essayé de la sauver.

Fluke ralentit l'allure. En atteignant la boîte de métal, elle hésita. Puis elle frotta doucement ses lèvres contre elle.

« C'est bien, dit Constance, en retirant la boîte. Gentil Fluke. Gentil bébé. »

Souriant de plaisir, elle lança un poisson que Fluke attrapa au vol.

« Voilà ce que je voulais vérifier, dit la jeune femme aux garçons. J'ai l'impression que ça ira. Si Fluke s'éloigne trop de nous, nous pourrons la rappeler en lui faisant entendre sa propre voix sous l'eau.

— Je pourrais refaire un enregistrement plus long, si vous voulez, proposa Hannibal. Enregistrer la même chose plusieurs fois, bout à bout. Comme cela nous aurions une demi-heure de discours au lieu d'une minute.

— Excellente idée, dit Constance en rendant la boîte à Hannibal. Moi, ajouta-t-elle, je vais aller rendre visite à papa. Je vous laisserai au *Paradis de la Brocante* en passant. »

Elle avait laissé la camionnette devant la maison. Peter reprit sa place à l'arrière et ses amis s'installèrent dans la cabine avec Constance.

Jusqu'au premier virage, la route était plate, puis elle descendait une pente passablement abrupte. Hannibal trouva que Constance conduisait bien vite. Pourquoi ne freinait-elle pas en abordant les virages ? D'ordinaire, elle conduisait avec doigté et prudence. Pour l'heure, prenant tous ses virages à la corde, on aurait cru qu'elle voulait gagner les Vingt-Quatre Heures du Mans.

Et soudain, Hannibal s'aperçut que Constance appuyait sur le frein de toutes ses forces. La pédale était au plancher.

On arrivait à un tournant à angle droit. Et la camionnette fonçait dessus comme un cheval emballé. Au lieu de ralentir, elle filait de plus en plus vite.

Constance saisit le frein à main et tira. La camionnette ne ralentit pas. Constance serra le frein à fond. Le compteur des vitesses marquait quarante... quarante-cinq... cinquante[1]...

« Est-ce que par hasard... est-ce que par hasard le frein ne marcherait pas ? » demanda Bob d'une voix étranglée.

---

1. *Miles.* Le mile vaut 1 609,3 m. (Note du traducteur.)

Constance inclina la tête et empoigna le levier de vitesse.

« Désolée, dit-elle. Je n'ai plus de freins du tout. »

Elle rétrograda brusquement, essayant de recourir au frein moteur. Hannibal sentit la camionnette trembler comme un bateau par gros temps, mais un coup d'œil au cadran lui apprit que la vitesse ne baissait pas.

Droit devant, là où la route tournait à droite, se dressait une vieille maison au milieu d'un parc planté d'arbres.

Et fermé par un solide mur de pierre.

A cette allure-là, se dit Hannibal, il n'y avait aucun espoir pour que la camionnette pût prendre le virage.

Elle allait continuer tout droit et s'écraser contre le mur.

Chapitre 8

Les trois suspects

Constance jeta sa camionnette au milieu de la route. Puis dans la voie de gauche. Si un véhicule venait à sa rencontre, l'accident était inévitable et les deux automobiles ne seraient plus qu'un seul tas de ferraille.

Heureusement, il n'y avait rien en face. Rien que ce mur de pierre, aussi rigide, aussi menaçant qu'une falaise.

Hannibal et Bob s'arc-boutèrent des pieds contre le tableau de bord, attendant l'impact, le choc, la fin...

Constance braqua à droite toute et, en même temps, elle passa la marche arrière.

Hannibal voyait toujours le mur se précipiter vers lui, mais maintenant c'était en oblique. Tout se passait si vite qu'il n'était pas sûr de ce qu'il voyait. Voilà que le mur s'éloignait, qu'il disparaissait un instant derrière le cadre de la vitre et qu'il reparaissait, à quelques centimètres de la portière.

Le moteur rugissait, gémissait, protestait. Bob et Hannibal s'agrippaient à leur siège de toutes leurs forces pour ne pas être projetés contre Constance.

Elle tenait toujours le volant braqué à fond à droite. Les pneus hurlaient comme des sirènes de police en dérapant sur le goudron. Le mur semblait se pencher en avant comme pour arracher la portière et tout le flanc de la camionnette.

Constance redressa le volant.

La camionnette fit encore une dizaine de mètres. Elle finit par s'arrêter en tremblant sur sa base. Le moteur cala.

Pendant au moins une minute personne ne dit un mot. Constance avait appuyé sa tête contre le volant. Elle respirait profondément, comme après une longue plongée.

« Bon, prononça-t-elle enfin d'une voix rauque mais ferme. Descendons et voyons ce qu'il en est. Il va falloir descendre de votre côté, Bob. Ma portière est coincée. »

Bob descendit, mais, pendant un bon moment, il dut se raccrocher à la camionnette pour ne pas tomber. Ses jambes ne le portaient pas. En fait, il ne les sentait même plus.

Puis il pensa à Peter.

Il courut à l'abattant et l'ouvrit.

Peter était étendu au fond de la camionnette, le visage contre le métal. Il avait écarté les bras et les jambes à la façon d'une étoile de mer. Il ne bougeait pas.

« Hé, Babal, arrive ici ! » cria Bob.

Tout en criant, il grimpa dans la caisse de la camionnette, et Hannibal le suivit. Ils s'agenouillèrent tous les deux à côté de Peter. Bob souleva doucement le poignet de son ami et chercha son pouls.

Peter bougea légèrement. Il ouvrit les yeux.

« Dites-moi vite si je suis vivant ou mort, chuchota-t-il.

— Vivant, je suppose, répondit Bob, en riant de soulagement. Ton pouls et ton sens de l'humour sont intacts.

— Mon sens de l'humour ? Tu dois être cinglé pour parler de sens de l'humour après une telle course ! »

Peter roula sur le côté et se mit sur son séant, tâtant ses bras et ses jambes pour savoir s'ils étaient entiers.

« Qu'est-ce qui vous a pris, vous autres ? Vous êtes devenus fous ou vous vous entraîniez pour le rallye de Monte-Carlo ? »

Hannibal secoua la tête. Peter n'avait pas dû s'amuser ballotté de côté et d'autre dans la caisse sans la moindre idée de ce qui se passait.

« Je pense, dit le détective en chef, que quelqu'un a dû déconnecter les freins.

— Exprès ? demanda Peter qui venait de se mettre debout.

— Vérifions », proposa Bob.

Il ne fallut pas longtemps aux trois garçons pour s'apercevoir qu'Hannibal ne se trompait pas. Constance avait déjà ouvert le capot et, en la rejoignant, ils virent que les tubes de raccordement de la pédale à pied et du frein à main avaient été sciés en deux.

« On a dû faire ça pendant que la camionnette était garée devant la maison de Slater, diagnostiqua Hannibal. On a eu tout le temps.

— Oui, mais qui *on ?* » interrogea Constance.

C'était là une question à laquelle le détective en chef ne pouvait encore répondre. Pour résoudre ce problème-là, il faudrait réfléchir longtemps et bien.

C'est à ce genre de déduction qu'Hannibal s'adonna durant les deux heures qui suivirent, pendant que Constance convoquait ses amis mexicains avec leur camion de dépannage et qu'elle reconduisait les Trois jeunes détectives au *Paradis de la Brocante*, avant de se rendre à San Pedro.

Cependant, il ne réussit pas à se concentrer correctement tant qu'il ne fut pas installé dans son vieux fauteuil à pivot, au milieu de son Q.G. clandestin. Là, il se mit à raisonner tout haut, pour que Bob et Peter pussent suivre ses déductions et, le cas échéant, lui faire des suggestions.

« Quelqu'un, dit le détective en chef, ne veut pas que nous trouvions l'épave du bateau du capitaine Carmel. Ce quelqu'un était prêt à nous assassiner cet après-midi, ou du moins à nous faire avoir un sérieux accident, pour nous empêcher, Constance et nous, d'appliquer notre plan de recherche et de récupération. »

Pinçant sa lèvre, il demeura silencieux quelques instants.

« Je vois trois possibilités, dit-il. Mais cette liste n'est pas exhaustive. »

Il dressa son pouce potelé.

« Un. Oscar Slater. Mais Oscar Slater a tout à gagner à retrouver l'épave. En outre, tout ce qu'il a fait jusqu'à maintenant : kidnapper la baleine, persuader Constance de la dresser, semble montrer qu'il souhaite que nous réussissions. »

Hannibal s'arrêta.

« Passons au numéro deux. »

Un index tout aussi potelé vint rejoindre le pouce.

« Paul Dunter. Que savons-nous de lui ? Quand nous l'avons rencontré à San Pedro, il connaissait nos noms. Il savait que nous étions les Trois jeunes détectives. D'où savait-il cela ? »

Personne ne répondit.

« Paul Dunter nous a raconté des tas de craques, en faisant semblant d'être le père de Constance, poursuivit Hannibal. Mais il nous a dit aussi des choses vraies. Il nous a dit que le capitaine emmenait Oscar Slater pêcher au Mexique quand le bateau a sombré. Non, pour être précis... »

Hannibal fit un effort de mémoire.

« ... Il nous a dit que le capitaine ramenait Oscar Slater d'une partie de pêche en California Baja quand le bateau a sombré. »

Bob et Peter savaient qu'Hannibal avait raison. Il avait toujours raison quand il s'agissait de se rappeler exactement ce que quelqu'un avait dit.

Hannibal resta quelques instants sans bouger, puis il prit le téléphone et forma un numéro.

« Allô, fit la voix de Constance dans le haut-parleur.

— Ici, Babal.

— Salut, Babal. Ça va ? Vous avez une voix soucieuse.

— Non, pas soucieuse. Perplexe.

— Perplexe ? Vous, Babal !

— Il y a une ou deux questions que j'aimerais vous poser.

— Allez-y.

— Quand nous vous avons donné notre carte, dans votre bureau de la *Féerie de la Mer*, l'avez-vous montrée à quelqu'un, ou avez-vous parlé de nous à quelqu'un ?

— A personne.

— Qu'avez-vous fait de la carte ?

— Je suppose que je l'ai laissée sur mon bureau.

— Quelqu'un aurait-il pu la voir là ?

— Evidemment. Nous sommes plusieurs dresseurs à partager ce bureau : il n'est presque jamais fermé à clef.

— Donc, n'importe quelle personne, ou presque, qui nous aurait vus entrer dans votre bureau aurait pu attendre que vous partiez, entrer à son tour, et lire la carte.

— Je suppose que oui. Moi-même, je n'ai pas vraiment regardé votre carte jusqu'au moment où vous êtes partis. C'est alors que je...

— C'est alors que vous vous êtes inquiétée pour la sécurité de Fluke et que vous êtes allée chez Slater pour vous assurer que tout allait bien.

— Exactement. Comment le savez-vous ?

— Nous étions dans le parking quand vous êtes sortie.

— C'est vrai ? Alors, j'ai failli vous écraser. Vous aviez une autre question, Babal ?

— C'est au sujet de votre père. Quand il emmenait Slater en California Baja pour vendre ces calculettes...

— Oui ?

— Depuis combien de temps était-il parti quand il a été pris par la tempête et qu'il a perdu son bateau ? »

Silence à l'autre bout du fil. Constance essayait de se rappeler.

« Je ne sais pas, dit-elle enfin. Vous voyez,

quand je travaille, je ne rentre pas à San Pedro : c'est trop loin. J'habite avec une amie à Santa Monica. D'habitude, je rentrais à San Pedro tous les lundis. C'est le jour où je suis libre. Mais à ce moment-là, j'avais dû aller à San Diego. Je n'avais donc pas vu papa depuis deux semaines quand on m'a téléphoné de l'hôpital et qu'on m'a annoncé... »

Sa voix se brisa. Elle se remémorait le choc qu'elle avait subi.

Hannibal, plein de compassion, attendit qu'elle reprît le fil de son discours.

« Je vois où vous voulez en venir, reprit-elle avec la voix énergique qui lui était familière. Papa et Slater auraient pu passer tout ce temps en mer et je ne m'en serais pas aperçue.

— Ce serait possible, n'est-ce pas ?

— Vous pensez que c'est important ? »

Oui, Hannibal le pensait. Quand Constance eut raccroché, il resta quelques minutes à réfléchir à l'importance de la chose. Le capitaine Carmel et Oscar Slater étaient-ils allés jusqu'à la California Baja ? Se trouvaient-ils sur le chemin du retour quand ils avaient été rejoints par la tempête ? Il devait s'en assurer. Mais comment faire ?

Il regarda Peter.

« Que dirais-tu d'une petite excursion rapide à Malibu ?

— Volontiers. »

Peter était déjà debout.

« C'est la première chose sensée que tu aies dite depuis longtemps.

— Et toi, Bob ?

— Je suis d'accord. »

Bob se doutait de ce que Babal se proposait de faire, et il pensait que c'était une bonne idée. Mais cela ne l'empêchait pas de continuer à réfléchir à ce que le détective en chef avait dit plus tôt.

« Il y a trois suspects possibles », avait annoncé Babal.

Il en avait mentionné deux.

Oscar Slater.

Et Paul Dunter.

« Une seconde, Babal, dit Bob. Qui est le troisième suspect dont tu parlais ? »

Mais le détective en chef avait déjà ouvert la trappe.

Il disparut dans le tunnel sans répondre à la question de Bob.

Chapitre 9

Alfred Hitchcock à l'aide

«Le riz brun», annonça fièrement Hoang Van Dong, le valet-de-chambre-chauffeur-cuisinier-factotum-jardinier-intendant-homme-à-tout-faire d'Alfred Hitchcock.

Il déposa sur la table du patio un grand bol d'où sortaient des jets de vapeur et sourit largement aux Trois jeunes détectives.

«Très sain, commenta-t-il. Vitamines naturelles. Rien de chimique. Pas de conservateurs.»

«Et pas de goût non plus, je parie», pensa Peter, en se penchant pour renifler.

Il regrettait presque le temps où Dong prenait toutes ses recettes dans les émissions publicitaires de la télévision du soir. Des pizzas congelées et des parallélépipèdes de poisson, c'était toujours mieux que ce qu'il servait maintenant qu'il regardait la télévision dans l'après-midi.

Il y avait découvert un gourou de la diététique qui faisait des conférences sur les topinambours organiques et le jus de carottes naturelles.

« Quelqu'un désire-t-il du riz brun naturel ? » demanda Alfred Hitchcock.

Et, comme personne ne répondait, il en servit une bonne assiettée à chaque garçon.

Ils étaient tous installés dans la gigantesque salle de séjour de M. Hitchcock. Une rangée de larges baies donnaient sur l'océan Pacifique. La maison, sise à Malibu, avait jadis abrité un restaurant, *Chez Charlie.* Alfred Hitchcock l'avait achetée avec l'argent que lui avaient rapporté ses films policiers. Peu à peu, il transformait le bâtiment en manoir seigneurial. Du moins, c'était son avis.

« Vous ne remarquez rien de nouveau depuis votre dernière visite ? » demanda-t-il à Hannibal.

Hannibal jeta un regard circulaire dans la vaste salle qui avait servi de salle à manger principale au restaurant.

« Vous avez fait refaire le plancher, monsieur, dit-il. Et... vous vous êtes acheté un fauteuil à bascule. »

M. Hitchcock hocha la tête d'un air satisfait.

« Je ne l'ai pas exactement acheté. Le studio de cinéma m'en a fait cadeau. C'est le fauteuil qui a servi pour mon dernier film. Vous vous rappelez la scène où la vieille dame est étranglée avec un portemanteau ? »

Hannibal se la rappelait très bien. La vieille dame était assise dans ce fauteuil quand l'étrangleur s'approchait furtivement d'elle par-derrière.

Il se demanda ce qu'un souvenir pareil faisait dans un manoir seigneurial. Mais il s'était habitué aux douces bizarreries d'Alfred Hitchcock.

En fait, Hannibal était ravi que le cinéaste fût aussi excentrique. S'il ne l'était pas, accepterait-il d'aussi bonne grâce de délaisser ses propres travaux pour prêter une oreille attentive — et quelquefois une main secourable — aux Trois jeunes détectives ?

Il avait été ravi de voir les trois garçons débarquer chez lui à la fin de l'après-midi, et il avait écouté attentivement le récit de leur dernière enquête.

Puis sans même qu'Hannibal le lui demandât, M. Hitchcock était passé dans son bureau et avait donné plusieurs coups de téléphone. Maintenant, les garçons attendaient avec impatience le résultat de ces appels, car M. Hitchcock pouvait, plus facilement qu'eux, obtenir certains renseignements importants.

Peter attaqua bravement la montagne de riz brun déposée dans son assiette.

Il en prit une colline sur sa fourchette et se mit à mâcher.

« Vous aimer riz brun, monsieur Grentch ? demanda Dong.

— Eh bien... répondit Peter, c'est... c'est intéressant. »

Le Vietnamien s'indigna.

« Riz brun pas besoin être intéressant. Nourriture intéressante mauvaise pour estomac. C'est ce que gourou dire à télévision.

— Mais si la nourriture n'est pas intéressante, protesta Bob, personne n'en voudra. Et si on ne mange pas, on meurt.

— Vous dire cela parce que vous penser de travers, répliqua sévèrement Dong. Pensées de travers déclencher action sucs gastriques de travers. Conséquence : vous attraper ulcères.

— Vous devez avoir raison», répondit Bob, conciliant.

Il se mit à mâcher lui aussi son riz brun, en essayant de ne pas penser «de travers».

«Comment marche votre nouveau film, monsieur?» demanda Hannibal.

Il voulait changer de sujet : c'était déjà assez pénible de devoir manger cette bouillie pour qu'au moins on s'abstînt d'en parler.

«Bien, je crois... » répliqua Alfred Hitchcock.

La sonnerie du téléphone l'interrompit.

Le cinéaste se leva de sa chaise, passa devant des rayonnages et atteignit son bureau où il y avait une table pour écrire, une table pour taper à la machine et un téléphone.

Les Trois jeunes détectives entendirent M. Hitchcock décrocher et répondre.

La communication leur parut interminable, parce qu'ils ne pouvaient entendre ce qui se disait.

Peter était si occupé à tendre l'oreille qu'il termina son riz brun sans même s'en apercevoir.

«Encore riz brun?»

Dong souriait d'un air encourageant tout en prenant son assiette.

«Non! hurla Peter en rattrapant l'assiette avant que le Vietnamien n'eût eu le temps de la remplir. Non, merci, ajouta-t-il plus poliment. C'était déli...»

Il s'arrêta à temps. Peut-être que les mets délicieux faisaient penser «de travers», comme les mets intéressants?

« C'était très sain et nourrissant, se corrigea-t-il. Mais, pour une fois, je n'ai plus faim. »

Et il se retourna rapidement, car Alfred Hitchcock revenait de l'autre bout de la pièce. Il tenait une feuille de papier à la main.

« Eh bien, dit-il, en regardant son papier, j'ai obtenu quelques renseignements, mais je ne sais pas s'ils vont vous aider dans votre enquête.

— Qu'avez-vous appris ? demanda Hannibal, impatient de savoir.

— Je viens de parler aux autorités d'immigration mexicaines à La Paz dans la California Baja. Le capitaine Diego Carmel et Oscar Slater ont relâché à La Paz à bord de *La Chance de Constance* le 10 février. Ils sont restés au port pendant deux jours et ils sont repartis le 12 février. »

Hannibal, qui avait froncé les sourcils, inclina la tête.

« Merci, monsieur, dit-il. La tempête a eu lieu le 17 février. Cela signifie qu'ils étaient nettement sur le chemin du retour et qu'ils se dirigeaient vers San Pedro quand la catastrophe s'est produite. »

Le détective en chef regarda ses adjoints.

« Et puisqu'ils sont bien allés au Mexique, poursuivit-il, cela signifie aussi, du moins je le pense, que, s'ils avaient une cargaison de calculettes qu'ils avaient l'intention d'y faire entrer en contrebande... »

Il se tourna vers Alfred Hitchcock.

« Ou bien quelque chose n'a pas marché et ils n'ont pas pu les débarquer, ou bien Oscar Slater a menti en affirmant à Constance qu'elles étaient encore à bord quand le bateau a coulé. Qu'en pensez-vous, monsieur ?

— Je pense que vous raisonnez impeccablement, Babal, répondit M. Hitchcock en souriant. Votre affaire devient de plus en plus bizarre... et, par conséquent, de plus en plus passionnante... »

Chapitre 10

L'échalas sans visage

« Tu penses que tu pourras la réparer, Babal ? » demanda tante Mathilde.

Hannibal considéra la vieille machine à laver déposée au milieu de son atelier au *Paradis de la Brocante.*

Oncle Titus l'avait rapportée la veille. Son émail jaunâtre était si craquelé qu'il évoquait pour Hannibal une feuille de papier froissé, qu'on aurait ensuite repassée. Le moteur ne devait pas être de la première jeunesse non plus.

« Je vais essayer, tante Mathilde, promit-il. J'y passerai ma journée. »

Tante Mathilde sourit. D'un côté, ce garçon — son neveu —, Hannibal Jones, et de l'autre cette machine à laver hors d'usage : mettez-les ensemble, et cela formait la combinaison idéale. Un travail à faire et un garçon pour le faire. Le mariage idéal, d'après tante Mathilde.

« Bonne idée, Babal, approuva-t-elle. Moi, de mon côté, je vais te cuisiner un de ces déjeuners... »

Cela n'ennuyait pas trop Hannibal de passer sa journée au *Paradis de la Brocante.* D'une part, il était payé ; d'autre part, s'il travaillait aujourd'hui, il pourrait s'absenter demain.

Les deux autres détectives se tenaient à peu près le même raisonnement : Bob travaillait à la bibliothèque et Peter tondait la pelouse de ses parents. Tous trois attendaient le lendemain avec impatience.

Tôt le matin, ils retrouveraient Constance près de la crique rocheuse qu'elle avait choisie. Ses amis mexicains amèneraient Fluke dans leur camion de dépannage. Puis Constance et les garçons commenceraient à chercher l'épave.

En une heure, Hannibal eut enlevé toutes les vieilles vis rouillées et déconnecté le moteur de la machine à laver. Il le hissa sur son établi. Il n'était pas aussi mal en point qu'Hannibal l'avait craint. C'était un vieux modèle du début de l'après-guerre. Trente ans d'âge au moins. On fabriquait du solide, à cette époque.

Avant tout, il fallait se procurer une courroie de transmission neuve. Hannibal en ferait une lui-même. Il se mit à chercher un long bout de caoutchouc résistant.

Soudain, il s'arrêta. Il avait été si préoccupé par la machine à réparer qu'il n'avait pas remarqué la lampe rouge qui clignotait audessus de l'établi. Cela signifiait que le téléphone sonnait au Q. G.

D'ordinaire, Hannibal n'était pas un garçon véloce. Mais, cette fois-ci, en moins d'une demiminute, il eut écarté la vieille grille, faufilé son corps potelé dans le tuyau, repoussé la trappe, sauté dans la caravane comme un bouchon de champagne et décroché le téléphone.

« Allô. Hannibal Jones à l'appareil, fit-il tout essoufflé.

— Bonjour, monsieur Jones, fit une voix traînante aisément reconnaissable. Je vous appelle pour vous demander où vous en êtes de votre enquête sur cette baleine.

— Je suis ravi de vous entendre, monsieur, répondit Hannibal. L'enquête progresse bien. J'ai le plaisir de vous faire savoir que demain, à sept heures du matin, Fluke — je veux dire la baleine — sera de nouveau dans l'océan et que nous aurons par conséquent accompli notre mission. »

Il y eut un long silence.

« Allô ? fit Hannibal. Allô ?

— Eh bien, voilà une bonne nouvelle, monsieur Jones, fit le correspondant. Vous méritez toutes mes félicitations.

— Merci, monsieur.

— Et, naturellement, une récompense. J'avais parlé, n'est-ce pas, d'une somme de cent dollars ?

— Oui, monsieur, c'est exact. Si vous voulez bien me donner votre nom et votre adresse, je vous adresserai une facture accompagnée d'une photo de la baleine en pleine mer, pour vous prouver que nous avons fait notre travail.

— Inutile. Je vous crois sur parole. En fait, je dois quitter la ville pour quelques semaines. Si nous pouvions prendre rendez-vous pour ce soir, monsieur Jones, je vous réglerais les cent dollars immédiatement : ce sera le plus simple.

— Vous êtes trop aimable, monsieur. »

Hannibal ne pouvait guère qu'acquiescer à une telle proposition, mais son esprit battait la campagne : pourquoi l'homme ne voulait-il pas dire son nom ? Pourquoi était-il prêt à croire les Trois jeunes détectives sur parole et à les régler sans avoir la moindre preuve de leur bonne foi ?

« Où et quand dois-je vous rencontrer, monsieur ?

— Vous connaissez Burbank Park ? »

Oui, Hannibal connaissait cet endroit où, jadis, les habitants de Rocky allaient volontiers s'amuser. Au milieu, il y avait un kiosque à musique et, le dimanche soir, un orchestre venait y jouer des marches de Sousa et des pots-pourris de Gilbert et Sullivan.

Mais la ville de Rocky s'était étendue dans une autre direction. Le quartier de Burbank avait été oublié. Le parc existait toujours, mais il n'était plus entretenu : ce n'étaient plus que sentiers pleins d'herbe et broussailles emmêlées. Aucun orchestre n'y jouait plus depuis des années, et aucune personne sensée ne s'aventurait plus dans Burbank Park la nuit tombée.

« Huit heures ce soir, reprit le correspondant. Pas la peine d'amener vos amis. Venez tout seul, monsieur Jones. Je vous attendrai près du kiosque à musique.

— Monsieur... » commença Hannibal.

Il voulait demander à son correspondant de trouver un meilleur endroit de rendez-vous. Mais l'autre avait déjà raccroché.

Hannibal resta là un long moment, les yeux fixés sur son bureau. L'homme lui avait demandé de venir seul. Voilà qui excitait aussi sa méfiance.

Le détective en chef décrocha à nouveau et appela ses amis. Il leur raconta l'étrange communication et les informa du bizarre lieu de rendez-vous que leur client avait choisi. Puis il retourna voir sa machine à laver.

A cinq heures, le moteur avait été réparé et remis en place au moyen de vis toutes neuves. Hannibal appela tante Mathilde et brancha la machine sur la prise de son établi.

Il y eut d'abord un ronronnement, puis un vrombissement et le tambour se mit à tourner de plus en plus vite. La machine vibrait et tremblait sur sa base, mais elle fonctionnait : tante Mathilde fut obligée de le reconnaître.

« Tu es vraiment doué, Babal. Doué et travailleur. Sauf quand tu perds ton temps à résoudre je ne sais quelles énigmes. Tu auras de la glace à la noix de pecan pour ton dessert. »

Aussitôt après dîner, la glace à la noix de pecan ayant été promptement expédiée (c'était pourtant celle qu'Hannibal préférait), le détective en chef prit sa bicyclette et gagna l'autre bout de la ville.

Burbank Park lui parut ce soir-là aussi redoutable que la jungle d'Amazonie. Hannibal descendit de sa bicyclette, tira un bâton de craie blanche de sa poche, et traça un ? sur le trottoir.

C'était un truc que les Trois jeunes détectives avaient souvent utilisé. Chacun d'entre eux avait toujours un bâton de craie sur soi. Celle d'Hannibal était blanche ; celle de Bob, verte ; celle de Peter, bleue. Ils avaient choisi le ? pour marquer leur piste non parce que ce signe figurait sur leur carte de visite, mais parce que rien ne paraît plus innocent. Quand on voit un ? sur le mur, on n'y prête aucune attention. Tout au plus pense-t-on qu'un gosse l'a tracé là sans raison précise.

Hannibal trouva une allée conduisant à l'intérieur du parc. Une allée, c'était beaucoup dire : plutôt un chemin envahi de mauvaises herbes et flanqué de réverbères et de buissons sur les côtés. Conduisant sa bicyclette à la main, Hannibal s'avança, s'arrêtant souvent pour tracer un autre ? sur un arbre ou sur l'un des bancs de bois démolis qu'il trouvait le long du chemin.

Hannibal n'avait rien d'un halluciné. C'était même l'esprit le plus logique et le plus rationnel qu'on pût imaginer. Pour lui, un buisson était un buisson. Il pouvait devenir autre chose — une cachette, par exemple — mais, au départ, ce n'était jamais qu'un buisson.

Cependant, à mesure que le garçon s'avançait dans le parc abandonné, il lui semblait que tous les objets autour de lui s'animaient, devenaient menaçants, cherchaient à l'agripper. Les branches des arbres ressemblaient à des bras tordus, les rameaux à des doigts crochus qui cherchaient à le saisir et à l'entraîner dans la nuit.

Enfin, il distingua le kiosque à musique. Son toit s'était effondré. De mauvaises herbes croissaient à l'intérieur, descellant le sol. Hannibal appuya la bicyclette contre un pilier et dessina encore un ? sur une planche pourrie.

« Monsieur Jones. »

Hannibal sursauta si fort qu'il faillit renverser sa bicyclette. Ses yeux cherchaient à percer les ténèbres. Mais il n'y avait personne autour de lui. Personne, en tout cas, qu'il pût voir.

« Oui ?... » haleta-t-il enfin.

Un crissement lui répondit. Quelqu'un marchait dans l'herbe, pensa Hannibal. Le crissement se rapprochait de plus en plus. Il n'était guère qu'à un mètre lorsque Hannibal put enfin distinguer la silhouette de son mystérieux correspondant.

L'homme était grand et il portait un chapeau de feutre aux bords rabattus sur ses oreilles. Ses yeux, s'il en avait, Hannibal ne les voyait pas. Son visage, s'il en avait un, était indiscernable ; tous les traits en paraissaient confondus : on aurait dit une photo prise en bougeant l'appareil.

Une seule chose était sûre : l'homme était d'une taille gigantesque. Il portait un blouson sous lequel ses épaules paraissaient si larges, ses bras si forts, qu'il aurait pu s'agir d'un gorille déguisé en homme.

« Ayez la bonté d'avancer, monsieur Jones, prononça-t-il, et je vous remettrai ce que vous êtes venu chercher. »

Hannibal s'avança. Immédiatement les deux mains de l'homme le saisirent aux épaules. Hannibal sentit qu'on lui faisait faire demi-tour. Un bras lui écrasait le cou, lui renversait la tête en arrière. Hannibal essaya de le saisir. Ses doigts se refermèrent un instant sur l'avant-bras de son agresseur. Il ne sentit pas de résistance. C'était comme s'il enfonçait ses doigts dans de l'ouate.

Puis l'autre bras d'Hannibal se trouva tordu dans son dos, entre les omoplates. Et la poigne osseuse de l'homme se referma sur le cou d'Hannibal.

Le détective en chef ne pouvait plus lutter. Il était sans défense. L'homme le tenait dans une prise imparable.

« Maintenant, vous allez exécuter ponctuellement mes ordres, monsieur Jones. »

Hannibal sentait le souffle de l'homme dans son oreille.

« C'est bien compris, monsieur Jones ? »

Hannibal essaya d'incliner la tête. Il ne pouvait pas.

« Parce que, reprit la voix traînante à l'accent sudiste, parce que si vous ne les exécutez pas, monsieur Jones, c'est moi qui vais vous exécuter ! »

Chapitre 11

Les détectives à la rescousse

Hannibal obéit ponctuellement aux ordres. Il suivit l'allée qui s'éloignait du kiosque. Ce n'était pas celle par laquelle il était venu, et il regretta de ne pouvoir dessiner un ? sur un arbre, mais il ne pouvait même pas tirer la craie de sa poche. L'homme maintenait toujours le bras droit d'Hannibal entre ses omoplates et il poussait le garçon devant lui.

Ils atteignirent une rue qui longeait le parc. Tenant toujours Hannibal par le poignet, l'homme ouvrit le coffre d'une vieille voiture en mauvais état.

« Dedans ! » commanda-t-il.

Hannibal regarda dans les deux directions. Personne en vue, personne qu'il pût appeler à l'aide.

D'un mouvement rapide, il réussit à libérer son bras. Mais pas à se libérer lui-même. La gigantesque et molle poitrine du grand échalas était appuyée contre son dos et elle le poussait en avant. Une seconde de plus et Hannibal perdrait l'équilibre : il tomberait la tête la première dans le coffre ouvert.

« Aaaah ! »

Hannibal laissa échapper un gémissement. Ses jambes cédèrent. Il glissa par terre, comme s'il avait soudain perdu connaissance. Le nez contre la chaussée, il demeura immobile. Tout en pliant les genoux, il avait tiré sa craie de sa poche. Il la tenait maintenant dans sa main droite.

Il ne lui fallut qu'un instant pour tracer un ? sous la voiture, pendant que son ravisseur se demandait ce qu'il devait faire d'un prisonnier évanoui.

Une fois sa décision prise, l'homme n'hésita plus. Il saisit le garçon par les cheveux et le remit debout. Puis il le culbuta dans le coffre, et en referma le couvercle.

Hannibal entendit le moteur se mettre en marche. La voiture démarrait lentement.

Il faisait noir dans le coffre, et il n'y avait pas beaucoup de place ; cela sentait l'essence et l'huile de moteur. Hannibal se mit à tâtonner autour de lui.

A en juger par l'odeur, la voiture devait consommer énormément d'huile. Un litre tous les vingt kilomètres, peut-être. Dans ces conditions, le coffre devait contenir un bidon d'huile de réserve.

Bientôt, les doigts d'Hannibal rencontrèrent ce qu'il cherchait. A tâtons, il tira alors de sa poche le couteau de l'armée suisse qui ne le quittait jamais, et perça un trou dans le bidon.

Le fond du coffre était si vieux que, par endroits, le métal n'était plus que rouille. Avec la scie de son couteau, Hannibal pratiqua une fente dans le métal rouillé.

Puis, goutte à goutte, il versa l'huile du bidon par la fente. Ce ne serait peut-être pas aussi efficace que de tracer des ? sur la chaussée, mais ce serait tout de même une piste.

La voiture roulait lentement. Et, heureusement pour Hannibal, elle n'allait pas bien loin. Le bidon n'était qu'à moitié vide quand elle s'arrêta.

Le coffre s'ouvrit. L'homme étendit la main et, une fois de plus, saisit Hannibal aux cheveux.

« Dehors ! » commanda-t-il.

Hannibal était bien forcé d'obéir. Il sortit le plus vite qu'il put. Il détestait qu'on lui tirât les cheveux.

En reprenant son équilibre, il vit que la voiture était garée dans une allée conduisant à une vieille maison de bois presque en ruine. L'homme le tenait toujours par les cheveux. Il le poussait et le tirait à la fois vers la maison. La vieille terrasse pourrie grinça sous leurs pas. L'homme prit une clef dans sa poche et ouvrit la porte.

Une dernière traction sur les cheveux du détective en chef, une dernière poussée dans son dos, et Hannibal se trouva au milieu d'une pièce obscure. La porte se referma derrière lui. L'électricité s'alluma.

Hannibal vit aussitôt pourquoi l'homme gigantesque qui l'avait enlevé semblait n'avoir pas de visage : un bas de nylon couvrait ses yeux, son nez et sa bouche.

Si Hannibal avait jamais vu cet homme, il ne

pourrait le savoir. S'il devait jamais le revoir, il ne le reconnaîtrait pas.

Dans la lumière, l'homme paraissait encore plus grand et gros que tout à l'heure, près du kiosque. Peut-être était-ce de la graisse et non du muscle que recouvrait le blouson, mais il y en avait beaucoup.

Hannibal jeta un regard circulaire sur la pièce. Quelques chaises de bois, une table branlante avec un téléphone posé dessus, des rideaux déchirés aux fenêtres. Ni journaux ni magazines. Pas de tableaux aux murs. L'homme ne devait pas habiter ici depuis longtemps.

« Là-dedans ! » commanda le géant.

Il poussait Hannibal vers une porte ouverte, le projeta en avant, claqua la porte, et tourna une clef dans une serrure.

Hannibal était de nouveau dans le noir. Il se remit à tâtonner et découvrit qu'il se trouvait dans un espace extrêmement réduit : un placard.

« Allô. »

C'était l'homme qui parlait au téléphone. Hannibal colla son oreille à la porte pour mieux entendre.

« Allô, reprit la voix. Je voudrais parler à Mlle Constance Carmel. »

Un silence. Et puis, de nouveau, la voix traînante du ravisseur :

« Mademoiselle Carmel, je pensais que ça vous intéresserait de savoir que votre jeune ami, Hannibal Jones, est comme qui dirait mon prisonnier. »

Silence.

« Oui, mademoiselle, pour parler plus grossièrement, je l'ai comme qui dirait kidnappé. »

Silence.

« Je ne vous demande pas de rançon. Je veux seulement que vous sachiez que si vous ne remettez pas cette baleine dans l'océan tout de suite et si vous ne renoncez pas à rechercher le bateau de votre papa... »

Un silence très bref.

« Eh bien, dans ce cas, mademoiselle, vous ne reverrez jamais votre ami, monsieur Jones. Pas vivant, en tout cas. »

Et l'homme raccrocha.

Les Trois jeunes détectives avaient affronté plus d'une fois des situations difficiles, et même dangereuses, au cours de leurs enquêtes. Ils avaient été attaqués par des requins. Ils s'étaient trouvés pieds et poings liés dans la cave d'une maison hantée. Mais cette fois-ci, se dit Hannibal, les choses étaient beaucoup plus graves : cet homme-ci était capable de tout.

Le détective en chef avait déclaré à ses adjoints que trois suspects pouvaient avoir saboté les freins de la camionnette de Constance. L'un était Oscar Slater ; le deuxième, Paul Dunter. Le troisième ne pouvait être que le mystérieux correspondant qui offrait une récompense de cent dollars pour libérer Fluke.

Ou plutôt non. Pas pour libérer Fluke, mais pour empêcher Slater de l'utiliser. Le troisième ne *voulait pas* qu'on retrouvât l'épave. Il ne voulait pas que la cargaison fût récupérée.

Et s'il avait tenté d'assassiner Constance et les détectives une première fois, qu'est-ce qui l'empêcherait de mettre à exécution la menace qu'il venait de formuler contre Hannibal ?

Hannibal s'agenouilla près de la porte et tira

de nouveau son fidèle couteau suisse. S'il pouvait forcer la serrure...

Oui, l'homme était grand, énorme. Mais il était gras. Pas potelé, comme Hannibal. Non : matelassé de graisse. Le garçon avait senti la mollesse de ses bras et de sa poitrine.

S'il était possible de le prendre par surprise...

Hannibal introduisit la lame de son couteau entre chambranle et vantail, travaillant aussi silencieusement que possible. Il entendait l'homme marcher de long en large dans la pièce, et il essayait de régler les mouvements de sa lame sur les craquements du plancher.

Soudain, un bruit assourdissant se fit entendre. On aurait cru un pan de bois cédant sous un coup de cognée. L'homme était-il tombé à travers le plancher?

Hannibal repoussa le pêne et la porte du placard céda.

Il se précipita dans la pièce. Au même moment, la porte d'entrée vola en éclats.

Aveuglé par la lumière, Hannibal crut voir autour de lui un ballet de corps humains délivrés de la pesanteur. Peter plongeait, dans la pose du rugbyman qui va chercher les jarrets de son adversaire. Le maître des lieux exécutait une culbute d'avant en arrière. Bob bondissait par la porte.

Il ne fallut que quelques secondes aux Trois jeunes détectives pour coordonner leurs mouvements et pour agir avec ensemble, comme une équipe bien entraînée. Le grand échalas vêtu de son blouson n'avait pas encore réussi à retrouver son équilibre, qu'Hannibal et Peter étaient dehors, avaient traversé la terrasse et se trouvaient déjà sur le trottoir... Bob les suivait de près.

« Dispersion ! » commanda Hannibal.

Ce signal-là aussi avait déjà servi aux détectives. Ils partirent chacun dans une direction différente.

« Ton vélo est par là ! » cria Bob à Babal, tout en sautant sur le sien, tandis que Peter enfourchait sa propre bicyclette.

Lorsque la haute silhouette du ravisseur se profila sur la terrasse, les trois garçons étaient presque hors de vue : ils pédalaient furieusement dans la nuit.

Chapitre 12

Les deux échalas

« Au début, reconnut Bob, nous ne savions pas très bien sur quel pied danser. Quand nous avons trouvé ton vélo près du kiosque, nous avons bien compris que quelque chose ne tournait pas rond. Et il n'y avait plus de marques à la craie à la sortie du parc.

— Ouais. J'ai tout de même bien fait de vous téléphoner pour vous dire où j'allais », répondit Hannibal.

C'était le lendemain. Les Trois jeunes détectives s'étaient réunis, en maillots de bain, dans une petite crique rocheuse.

Aussitôt rentré à la maison, Hannibal avait téléphoné à Constance pour lui dire qu'il n'était plus prisonnier, et que les projets de recherche de l'épave pouvaient être mis à exécution normalement. Maintenant, les détectives attendaient la jeune femme.

« C'est Bob qui a tout compris, expliqua Peter. Quand nous avons trouvé des traces d'huile sur la chaussée où nous avions déjà remarqué une de tes marques, Bob a deviné qu'une vieille guimbarde quelconque avait été parquée là et que tu étais parti dedans.

— D'accord, mais c'est Peter qui a découvert la trace suivante, une centaine de mètres plus loin, intervint Bob. Après cela, c'était facile. Nous n'avions plus qu'à suivre les traces, jusqu'au moment où nous avons vu la voiture garée devant la maison. »

Il leva les yeux. Un camion de dépannage descendait lentement, en marche arrière, le chemin de terre qui conduisait à la crique. Dans la caisse, soigneusement emballée dans de la mousse de plastique humide, Fluke se laissait véhiculer, les yeux clos, l'air parfaitement satisfait.

Le camion traversa la plage jusqu'au moment où ses roues arrière se trouvèrent au ras de l'eau. Constance avait choisi cette crique-ci à cause de sa pente, très abrupte : à quelques mètres de la plage, l'eau était déjà assez profonde pour que Fluke pût y nager.

Constance et son ami mexicain descendirent de la cabine. Elle portait sa tenue de plongeuse, et un masque de plongée pendait à son cou. Elle contourna le camion et alla faire quelques caresses à Fluke.

Sous le corps de Fluke, un gros filin de toile avait été disposé par-dessus la mousse humide. Peter et le jeune Mexicain nouèrent ensemble les extrémités du filin et les fixèrent au crochet de la grue du camion.

Pendant ce temps, Constance flattait la tête de Fluke et lui recommandait de ne pas se faire de souci.

Recommandations inutiles : la baleine avait ouvert les yeux et elle remuait la queue quand la grue l'éleva dans les airs au-dessus du camion. Alors les trois garçons, tirant ensemble, réussirent à faire pivoter la grue de telle manière que la baleine se retrouvât suspendue au-dessus de l'eau.

Lentement, le jeune Mexicain fit tourner son treuil et abaissa la baleine jusque dans l'océan. Fluke ne pouvait bouger dans son filin, mais elle ne cherchait pas à se débattre. Elle demeura immobile jusqu'au moment où Peter défit le crochet. Le filin se déroula. Fluke était libre. Libre et dans son élément. Elle s'éloigna de quelques mètres.

« Ici, Fluke. Reste ici, mon bébé ! » l'appela Constance.

La baleine obéit aussitôt. Elle revint se frotter à la jeune femme qui l'attendait, de l'eau jusqu'à la taille.

« Parfait, dit Constance à son ami mexicain. *Muchas gracias.* »

Le Mexicain sourit et remonta dans son camion :

« *Buena suerte !* » prononça-t-il en s'éloignant.

Constance se tourna vers les Trois jeunes détectives :

« Prêts ? »

Elle jeta un coup d'œil vers la mer. A une centaine de mètres, la vedette d'Oscar Slater attendait les plongeurs.

« Prenez le magnétophone, Babal, dit Constance. Je ne pense pas que nous en ayons besoin. Fluke ne s'écartera pas de nous, n'est-ce pas, Fluke ? Mais il vaut mieux que nous l'ayons avec nous, pour le cas où...

Hannibal s'avança dans l'eau et rejoignit la

jeune fille. Les deux autres détectives le suivirent.

« Qu'y a-t-il, Babal ?

— Constance, j'ai réfléchi. Je crois qu'il vaut mieux que Bob reste ici avec le magnétophone.

— Pourquoi ? »

Hannibal expliqua comment il en était arrivé à penser que Slater, malgré ce qu'il prétendait, avait peut-être réussi à vendre les calculettes au Mexique.

« Et s'il l'a fait, sans que votre père s'en aperçoive, il peut tout aussi bien vouloir s'emparer de votre part de la cargaison, quelle qu'elle soit. Il peut même essayer de kidnapper Fluke. Bob nous couvrira. »

Constance l'avait écouté attentivement.

« Vous êtes sûr des dates ? demanda-t-elle.

— Sûr et certain. Un de nos amis les a vérifiées auprès des autorités mexicaines. Le bateau a bien relâché à La Paz. »

Constance réfléchit quelques instants.

« D'accord, dit-elle, en mettant son masque. Fluke, Peter et moi, nous suffirons à la tâche, même sans Bob. Arrive, Fluke. »

Elle se jeta à l'eau et nagea rapidement vers le large. Fluke resta à ses côtés. Hannibal suivit, plus lentement. Peter retourna sur la plage et ramassa un petit sac de plastique, fermé hermétiquement, qu'Hannibal avait apporté avec lui. Peter tourna le dos à Bob et Bob accrocha le sac au maillot de Peter. Dans le sac, il y avait une mini-radio.

« Tu pourras nager avec ça ? demanda Bob.

— Bien sûr. Pour le moment, ça paraît lourd, mais je ne sentirai plus rien quand je serai dans l'eau. »

Bob suivit des yeux son ami qui entrait dans la mer. Peter avait raison. Dès que l'eau eut dépassé sa taille, le sac contenant la mini-radio se mit à flotter. Peter s'élança, nageant la brasse avec vigueur. Il eut bientôt rattrapé Hannibal.

Bob remonta sur la plage. Il ramassa la boîte contenant le magnétophone et, déroulant un pull-over qu'il avait fixé à sa bicyclette, il en retira une deuxième mini-radio.

Il déplia l'antenne et mit l'appareil sur « réception ».

Ayant trouvé une grosse pierre sèche, il enfila le pull-over et s'assit sur ce siège improvisé, tenant la mini-radio sur ses genoux. Il avait déposé le magnétophone sur la pierre. Au large, Constance et Fluke atteignaient déjà la vedette de Slater.

« Bienvenue à bord », dit Slater, en tendant la main pour aider la jeune femme à monter.

Mais elle ne faisait pas attention à lui.

« Reste ici, Fluke, dit-elle à la baleine. Gentil bébé, Fluke. Reste ici. »

Saisissant la lisse de bois, elle se hissa à bord d'un mouvement facile et gracieux.

Hannibal l'imita, mais ce fut moins facile et surtout moins gracieux. Peter faisait la planche à quelques mètres.

« Pouvons-nous vérifier l'équipement, monsieur ? demanda Hannibal.

— Bien sûr. »

Slater conduisit le garçon dans le cockpit et lui montra la petite caméra de télévision travaillant en circuit fermé. Hannibal l'examina, puis il jeta un coup d'œil à l'écran fixé au-dessus de la barre.

«Vous êtes sûr que la caméra fonctionnera sous l'eau? demanda-t-il.

— Bien sûr, voyons! répondit Slater avec impatience. Constance l'a empruntée à la *Féerie de la Mer*, ils s'en servent tout le temps. Vous avez encore beaucoup d'autres questions aussi stupides, mon garçon?» ajouta-t-il de sa voix traînante.

Hannibal avait préparé tout un arsenal de questions aussi stupides, car il devait donner à Peter le temps de monter à bord, de décrocher son sac de plastique et de cacher la mini-radio dans un casier sans être vu. Hannibal Jones était un excellent comédien quand il décidait de jouer la comédie, et l'un de ses meilleurs rôles était celui du parfait idiot.

«Tout est une question de portée, fit-il. A quelle distance du bateau Fluke devra-t-elle rester?

— Jusqu'à cinquante mètres, tout ira bien», répondit Slater.

Son crâne chauve semblait briller d'irritation.

«Constance ne vous a-t-elle pas expliqué tout cela?

— Si, sans doute. Mais vous voyez, étant donné la lampe électrique qu'elle va mettre sur la tête de Fluke...»

Inutile de continuer. Peter était à bord. Et il passait sa main dans ses cheveux mouillés, ce qui signifiait qu'il avait réussi à cacher le sac de plastique.

«Oui, bon, d'accord, je suppose que la lampe sera suffisamment puissante, acheva Hannibal.

— Dans ce cas, commençons!» décida Slater.

Il retourna sur le pont. Constance, penchée

par-dessus la lisse, parlait à Fluke d'une voix amicale, rassurante.

« Où est le troisième garnement ? demanda Slater. Je croyais qu'il y en avait trois.

— Bob est enrhumé, répondit Peter. Nous l'avons laissé à terre. Nous pensions...

— Ça va, ça va », dit Slater, en mettant la main sur le starter du moteur hors bord.

« A quelle vitesse ça nage, ce poisson ? demanda-t-il à Constance.

— Fluke n'est pas un poisson, répondit Constance d'un ton glacé. C'est un mammifère intelligent et hautement civilisé. Elle peut faire quinze milles à l'heure quand elle en a envie. Mais je préfère que vous ne dépassiez pas les huit nœuds. Je ne veux pas qu'elle se fatigue.

— Comme vous voudrez », dit Slater.

Il mit le moteur en marche et tourna le bateau vers la pleine mer. Constance resta penchée par-dessus la lisse, parlant à Fluke qui s'amusait à suivre le bateau en effectuant de temps à autre des bonds et des plongeons élégants.

« Les gardes-côtes qui nous ont sauvés nous ont dit que nous étions à cinq milles du rivage quand ils nous ont repêchés », dit Slater.

Hannibal regarda Peter. Cette fois-ci, il avait des questions intelligentes à poser, mais, s'il fallait continuer à jouer les imbéciles, il valait mieux laisser ce rôle à Peter.

Avec les lèvres, mais sans proférer le moindre son, il forma les mots :

« Combien de temps ? »

Peter comprit immédiatement.

« Combien de temps êtes-vous restés dans l'eau ? demanda-t-il à Slater.

— Deux heures au moins.
— Marée? fit Hannibal.
— C'était la marée basse ou la marée haute? demanda Peter.
— La nuit tombait, répondit Slater. Et les vagues étaient si hautes qu'on n'y voyait vraiment pas grand-chose. Mais, de temps en temps, il m'est arrivé d'apercevoir la côte, et elle semblait toujours reculer malgré tous nos efforts pour nager vers elle. D'où je conclus que la marée descendait.»

Hannibal se livrait à des calculs silencieux. Deux heures... Il se rappelait le soir de la tempête. Le grain était arrivé du nord-ouest. Le vent soufflait parallèlement à la côte. Gênés par leurs gilets de sauvetage, Carmel et Slater ne pouvaient guère résister à la puissance de la marée. En deux heures, ils auraient probablement été déportés sur une distance de deux milles.

Hannibal se glissa vers Peter et lui chuchota quelque chose à l'oreille.

«Je suppose que le bateau doit avoir sombré à trois milles de la côte environ, dit Peter.
— Comment arrivez-vous à ce résultat? interrogea Slater.
— Oh! la vitesse du vent, l'âge du capitaine... répondit vaguement Peter.
— C'est possible. Je n'en sais pas plus que vous», dit Slater.

Il regarda sa montre et se livra à un rapide calcul mental. Puis il ralentit.

«Nous devons y être à peu près», fit-il.

Il se tourna vers Constance.

«Si on lui mettait le harnais, à votre mammifère, et si on l'envoyait voir ce qui se passe en bas? Nous allons chercher dans les parages, en suivant la côte dans les deux sens.

— Fluke! appela Constance. Viens ici, Fluke.»

Elle saisit le harnais déposé près d'elle sur le pont; elle y avait déjà fixé la caméra de télévision et la lampe. Elle se laissa glisser dans l'eau et attacha les bretelles sur la tête de Fluke.

Hannibal pinçait sa lèvre inférieure. Trois milles, oui. Mais trois milles à partir de quel point de la côte? Les renseignements de Slater étaient si vagues que le bateau avait pu couler à dix milles de la crique dans une direction ou dans l'autre. Autant chercher une pièce de monnaie dans la jungle. Il fallait préciser un peu le lieu du naufrage.

Constance avait fixé la caméra et la lampe sur la tête de Fluke et elle remonta à bord. Hannibal s'installa près d'elle.

«Votre père ne vous a jamais rien dit à propos de la tempête?» demanda-t-il.

Constance secoua la tête.

«Rien qui puisse nous aider. Je vous ai raconté ce qu'il répète sans cesse.»

Hannibal se rappelait : les deux échalas devaient s'aligner sur la jeune femme. Qu'est-ce que cela pouvait bien vouloir dire? Qui étaient les deux échalas?

Hannibal regardait la côte qui s'étendait à trois milles de la vedette. Les falaises étaient si hautes qu'elles cachaient les montagnes qui se dressaient plus loin. De-ci de-là, au sommet d'une colline, s'élevait une maison, ou un gratte-ciel. Un émetteur de télévision dominait le paysage. A sa droite, une cheminée d'usine lui faisait pendant.

« Il est temps de nous mettre en tenue, Peter, dit Constance. Et nous allons vérifier les bouteilles d'oxygène. Comme cela, nous serons prêts à plonger avec Fluke. »

Peter approuva de la tête et alla s'occuper de l'équipement de plongée qui avait été disposé dans le cockpit.

Hannibal observait toujours le rivage, et il tirait si fort sur sa lèvre qu'elle lui touchait le menton.

Diego Carmel était un marin expérimenté. Sachant que son bateau allait sombrer, il ne pouvait manquer de prendre des points de repère. Si seulement il retrouvait assez de santé pour pouvoir s'expliquer...

Les yeux d'Hannibal allaient de l'émetteur de télévision à la haute cheminée. Et soudain il les vit comme ils devaient apparaître en pleine tempête, au crépuscule : deux piquets, deux pieux... deux « échalas » !

Il saisit le bras de Slater. Il n'était plus temps de se faire passer pour un idiot.

« Alignez les deux échalas ! hurla-t-il.

— Quoi ? Qu'est-ce que vous racontez encore, mon garçon ?

— Lorsque le bateau a commencé à sombrer, répondit Hannibal, le capitaine Carmel a voulu prendre un repère sur la côte. Il a vu cette tour et cette cheminée derrière.

— Et alors ? »

A présent, on aurait dit que c'était Slater qui jouait les imbéciles à son tour.

« Vous ne comprenez pas ? s'écria Hannibal. Nous n'avons qu'à retourner vers la côte en gardant ces deux repères alignés, et nous allons retrouver l'épave ! »

Chapitre 13

Péril en profondeur

Hannibal se tenait sur l'avant de la vedette, les jumelles aux yeux.

Il les tenait fixées sur la côte, à trois milles de là. Comme le bateau s'en rapprochait, l'émetteur de télévision et la cheminée d'usine se rapprochaient aussi l'un de l'autre. Encore une centaine de mètres...

Slater était à la barre.

« Ralentissez! commanda Hannibal. Comme ça! »

Toujours plus près... Et l'émetteur se trouva juste devant la cheminée.

Les deux « échalas » étaient alignés.

« Nous y sommes! cria Hannibal. Stoppez tout. »

Il abaissa les jumelles.

La mer était trop profonde pour qu'on pût mouiller l'ancre. Il faudrait maintenir le bateau en place en jouant du moteur contre la marée.

Hannibal vit Slater tourner l'avant de la vedette vers la côte. Quelques instants plus tôt, Slater paraissait stupide, et voilà que la cervelle commençait à se réveiller sous ce crâne chauve. L'homme manœuvrait son bateau comme un professionnel.

« Ça va, Peter ? »

Constance avait fini d'assurer la bouteille d'oxygène sur le dos de Peter. Il ajusta son masque sur ses yeux, tandis que Constance inspectait son tuyau d'air et vérifiait la pression. L'aiguille du cadran indiquait que la bouteille était pleine.

D'une démarche rendue maladroite par ses palmes, il suivit Constance jusqu'à la lisse. Elle s'assit dessus, puis, se penchant en arrière vers l'océan, elle bascula doucement dans l'eau.

Peter bascula après elle.

Il reprit une position rectiligne un mètre ou deux sous l'eau, et se laissa flotter à plat ventre. Il essayait de se rappeler tout ce qu'on lui avait appris pendant ses leçons de plongée.

Respirer par la bouche, de manière que le verre du masque ne s'embrume pas. Vérifier qu'il n'y ait pas de nœuds dans le tuyau d'air. Ne pas plonger tant que l'humidité à l'intérieur de la combinaison ne s'est pas adaptée à la température du corps. Plus on descend, plus la température diminue et plus la pression augmente. En cas de vertige, remonter à la surface immédiatement, mais pas trop vite.

Pendant quelques minutes, Peter nagea à un mètre au-dessous de la surface, battant paresseusement des palmes et se donnant le temps de se détendre et de s'habituer au monde sousmarin.

Il avait toujours aimé la plongée. Sa ceinture lestée autour de la taille contrebalançait la tendance qu'avait son corps à remonter, et cela lui donnait l'impression de voler. Voler comme un oiseau. Avec le même sentiment d'absolue liberté.

Constance et Fluke flottaient à quelques mètres de lui. Peter leva la main, formant un O avec son pouce et son index : il était prêt à plonger.

Constance tapota le dos de Fluke. La lampe projetait un puissant pinceau de lumière devant la baleine, qui amorça sa descente. Profond. De plus en plus profond. Plus profondément que Peter ou même que Constance.

Dans le cockpit, Hannibal ne quittait pas des yeux l'écran de télévision. Slater, à la barre, l'observait aussi avec une intense attention.

C'était passionnant. On se serait cru dans l'espace intersidéral. Le petit rond de lumière semblait explorer le ciel. Un ciel brumeux, quelquefois nuageux, à travers lequel des compagnies de poissons volaient comme des bandes d'insectes.

Chaque fois que Fluke s'éloignait trop du bateau, le rond de lumière perdait de l'intensité. Aussitôt, Slater dirigeait la vedette vers la côte, en prenant soin de garder l'émetteur et la cheminée alignés, tout en suivant la direction prise par Fluke.

Quand le rond de lumière redevenait plus brillant, il maintenait le bateau immobile, en position.

Du sable, du gravier, du varech : voilà ce qu'on voyait sur l'écran. Fluke avait atteint le fond de l'océan. La caméra de télévision fixée sur sa tête explorait le paysage mètre par mètre.

Peter avait cessé de descendre. Il était loin au-dessus de Fluke, mais il n'osait pas plonger davantage. Il avait appris que lorsque la pression devient trop grande, le plongeur a des réflexes d'homme ivre. Il peut pécher par excès de confiance et faire des choses absurdes, stupides, qui mettront sa propre vie en danger.

Plus bas, beaucoup plus bas, il voyait la lumière projetée par la lampe que portait Fluke. Elle avait bien de la chance, Fluke! Son corps était adapté aux grandes profondeurs. Constance avait appris à Peter que certaines baleines peuvent descendre à plus de quinze cents mètres sous l'eau et y rester une heure.

Peter n'en était pas là. Il leva la main pour redresser sa bouteille d'oxygène. Des doigts, il suivit toute la longueur du tuyau jusqu'au réservoir.

Curieux, se dit-il. Le tuyau ne formait pas de nœuds, et pourtant...

Angoissé, il refit le chemin inverse. Il devait forcément y avoir un nœud quelque part, parce que ses poumons ne recevaient plus d'air. Il ne pouvait plus respirer.

Il saisit la boucle de sa ceinture lestée. Garde ton souffle! se commanda-t-il à lui-même. Enlève cette ceinture! Garde ton souffle et remonte. Pas de panique, imbécile! Tu n'as qu'à défaire cette boucle.

Mais ses doigts ne sentaient plus rien. Et ses yeux n'y voyaient presque plus. L'eau qui l'entourait changeait de couleur. Elle devenait rose, et puis d'un rouge de plus en plus foncé. Si foncé qu'il virait au noir...

Peter haletait maintenant, donnant des coups de palmes dans tous les sens, essayant de remonter à travers les ténèbres...

Soudain, une lumière éclatante l'aveugla. Il

sentit un choc puissant en pleine poitrine. Une chose aussi puissante qu'un bulldozer le poussait, le hissait. Il montait.

Il ne résista pas. Avec ce qui lui restait de force, il se cramponna au contraire à cette chose inconnue qui l'aidait à remonter.

Sa tête émergea de l'eau. Une main se tendit et lui arracha son masque. Il ouvrit la bouche et aspira une grande bolée d'air.

Les ténèbres rouges se dissipaient peu à peu. Il baissa les yeux et vit une surface indistincte.

Puis il distingua un harnais de toile. Une lampe. Une caméra.

Il était couché sur le dos de Fluke.

Constance nageait à côté de lui. C'était elle qui lui avait enlevé son masque.

« Ne parlez pas, lui dit-elle. Respirez profondément, régulièrement. Vous irez mieux dans une minute. »

Peter obéit. Il demeura étendu, la joue pressée contre le dos de Fluke. Peu à peu, sa respiration devint plus facile. Il ne haletait plus. Il ne voyait plus rien de rouge et se sentait capable de parler.

Mais avant de poser des questions, avant d'essayer de découvrir ce qui s'était passé, il voulait dire une chose importante et il la dit :

« Fluke, tu m'as sauvé la vie.

— C'est que vous aviez sauvé la sienne, voyez-vous, répondit Constance en posant sa main sur la tête de la baleine. Ça n'oublie rien, ces bêtes-là. »

La vedette approchait. Hannibal, qui barrait, coupa le moteur. Oscar Slater se penchait par-dessus la lisse.

« Je l'ai vue ! criait-il, et sa tête chauve semblait briller de surexcitation. Rien qu'un éclair sur l'écran, mais je l'ai vue! L'épave du bateau de votre père, Constance.»

Il se tourna vers Hannibal.

«Ne bougeons plus d'ici. L'épave doit être juste au-dessous de nous. Elle a apparu sur l'écran au moment où Fluke a fait demi-tour pour remonter. Ensuite, j'ai vu Peter. C'est donc...

— Peu importe pour le moment, interrompit brusquement Constance. La première chose à faire, c'est de hisser Peter à bord et de chercher ce qui n'a pas marché.

— Mais je vous dis que... tempêtait Slater.

— Plus tard, fit Constance. Reprenez la barre, Slater. Babal, venez nous aider.»

Slater hésita. Mais il savait qu'il avait besoin de Constance : sans elle, il ne récupérerait jamais la cargaison naufragée. Il inclina la tête d'un air sombre et reprit la barre pour libérer Hannibal.

Constance et le détective en chef aidèrent Peter à remonter à bord. Se sentant toujours un peu faible, il s'assit sur le pont, tandis que Constance lui apportait une tasse de café chaud et qu'Hannibal défaisait les bretelles qui maintenaient la bouteille d'oxygène sur son dos.

«Bon. Que s'est-il passé? questionna Constance. Je voyais bien que vous aviez des ennuis, mais je ne savais pas lesquels. Qu'avez-vous ressenti? La pression de l'eau? Impossible. Vous n'étiez pas descendu assez profond pour ça.

— Simplement, je ne pouvais plus respirer, répondit Peter en dégustant son café, qui lui parut délicieux. Je ne recevais pas d'air par le tuyau. J'ai pensé qu'il y avait un nœud, mais il n'y en avait pas.»

Il expliqua comment les choses étaient devenues rouges autour de lui, puis rouge foncé, puis noires.

«Bioxyde de carbone, diagnostiqua Constance. Vous respiriez du bioxyde de carbone au lieu d'air.»

Elle prit le réservoir et ouvrit la valve. Aucun sifflement ne se fit entendre.

«Pas étonnant, dit-elle. La bouteille était vide.

— Mais nous l'avons vérifiée!»

Hannibal examina la jauge de pression. L'aiguille indiquait toujours le plein. Il la montra à Constance.

«Quelqu'un a dû coincer l'aiguille et ensuite libérer l'air de la bouteille», supposa-t-il.

Constance fut de son avis : c'était la seule explication.

«D'où vient cet équipement? demanda Hannibal.

— De la *Féerie de la Mer.* Je l'ai apporté à bord moi-même hier soir. Et tout fonctionnait parfaitement.»

Elle marcha sur Slater.

«L'équipement de Peter a été saboté, déclara-t-elle d'un ton accusateur. Je veux savoir...

— Vous ne vous imaginez tout de même pas que c'est moi qui ai fait le coup? répliqua Slater avec colère. Moi, ce qui m'intéresse, c'est de récupérer la cargaison de l'épave. Je n'y ai pas touché, à votre équipement, depuis que vous l'avez déposé à bord. Vous croyez que ça m'amuse, moi, tous ces retards?»

De sa voix traînante, mais en accélérant le

débit, il expliqua une fois de plus ce qu'il souhaitait. On se trouvait à l'aplomb de l'épave. Les calculettes se trouvaient dans une boîte de métal, hermétiquement fermée, à l'intérieur de la cabine. Comprenait-on combien d'argent était immobilisé là ? Pourquoi ne se mettait-on pas au travail ? Pourquoi ne remontait-on pas la cargaison à bord ?

Hannibal savait que Slater disait la vérité, au moins sur un point. Il n'aurait eu aucun intérêt à coincer la jauge.

Il n'empêche que quelqu'un l'avait fait.

« Quelqu'un aurait-il pu monter à bord hier soir ou tôt ce matin, monsieur ? » demanda-t-il.

Slater hocha la tête.

« Non. La vedette était mouillée à quai et j'y ai dormi. Je ne suis pas retourné à terre après le départ de Constance.

— Avez-vous reçu des visites ?

— Non. Il n'y a que mon vieil ami, Paul Dunter, qui est venu prendre un verre avec moi. Mais je ne peux pas me figurer que Paul...

— Depuis combien de temps connaissez-vous Paul Dunter ? interrogea Hannibal. Qui est-il ? Que savez-vous de lui ?

— Encore des questions idiotes ? s'écria Slater en faisant le geste de s'arracher les cheveux qu'il n'avait plus. Comme s'il s'agissait de cela ! Allez, au travail. Remontons la boîte.

— Répondez-lui, Slater ! commanda Constance, les poings sur ses hanches et qui dominait l'homme d'une demi-tête. Répondez à toutes les questions de Babal, et tout de suite. Je ne toucherai pas à l'épave, tant que vous ne l'aurez pas fait.

— Bon, bon, dit Slater, cédant à contrecœur.

Depuis combien de temps je connais Paul Dunter ? C'est cela que vous voulez savoir ? »

Hannibal inclina la tête.

« Je l'ai rencontré en Europe il y a quelques années. Nous y avons fait des... disons : des affaires, ensemble. Et puis je l'ai revu au Mexique.

— Quand cela ?

— Plusieurs fois.

— La dernière fois que vous y êtes allé, par exemple ? insista Hannibal.

— Oui, je crois. Il avait une petite imprimerie à La Paz. Et puis, après tout, nous sommes de vieux amis ! J'allais le voir chaque fois que j'étais là-bas. Il n'y a pas de mal à ça. »

Hannibal se tut pendant un moment. Il réfléchissait.

« D'autres questions, Babal ? proposa Constance.

— Non. Non, c'est tout ce que je voulais savoir, dit Hannibal.

— Bien, fit Slater en se tournant à nouveau vers Constance. Alors, maintenant, on peut peut-être y aller ?

— Dès que j'aurai vérifié ma bouteille d'oxygène à moi. »

Constance retourna sur le pont. Hannibal la vit ouvrir la valve et entendit le sifflement de l'air jusqu'au moment où elle la referma.

Le saboteur, quel qu'il fût, n'avait pas eu le temps de coincer toutes les jauges. Ou peut-être avait-il espéré qu'un seul accident grave suffirait à empêcher l'opération de récupération.

Hannibal s'approcha de Constance.

« Je pense, dit-il, que nous devrions voir ce

qu'il y a dans la boîte de métal avant de la remettre à M. Slater. »

Constance examina la proposition.

« Bon, dit-elle, d'un ton pensif. Nous ferons comme vous le souhaitez, Babal.

— Merci. »

Le garçon était reconnaissant à la jeune femme de la confiance qu'elle lui accordait, d'autant plus qu'il croyait être bien près de la solution de l'énigme.

La jauge coincée... Le vieil ami rencontré en Europe... Le voyage à La Paz... L'imprimerie... Ce pli, ressemblant à une cicatrice, sous l'œil droit de Dunter...

Tout cela commençait à s'organiser dans l'esprit du détective en chef.

Chapitre 14

La chanson de Fluke

« Je ne peux pas plonger assez profond pour atteindre l'épave. »

Constance se tenait debout dans le cockpit, face à Slater.

« Mais alors, comment... ?

— Ne m'interrompez pas, je vous prie. Répondez simplement à mes questions. J'ai besoin de tous les renseignements que vous pourrez me donner. D'accord ? »

Slater regarda la jeune femme. Hannibal lisait la colère dans ses yeux.

« Encore des questions ? D'accord. Que voulez-vous savoir ?

— Où se trouve-t-elle exactement, cette boîte, avec ces... ces calculettes ?

— Eh bien, ce qui est précieux... »

Slater faisait un effort pour regarder Constance dans les yeux.

« Je veux dire que la seule chose valant la peine qu'on s'en occupe se trouve sous la couchette, dans la cabine.

— Est-elle attachée ?

— Non. »

Slater détourna les yeux, l'air gêné.

« Votre père voulait lancer le canot de sauvetage, expliqua-t-il. Nous aurions emporté la boîte avec nous. Et puis... et puis le temps nous a manqué. Le bateau s'est empli d'eau... »

Il haussa les épaules avec amertume.

« Nous avons été obligés d'abandonner la boîte.

— La porte de la cabine est-elle fermée à clef ?

— Non, elle est bloquée en position ouverte. Vous savez comment ? »

Constance fit oui de la tête. Elle allait pêcher avec son père depuis qu'elle avait dix ans. Elle connaissait chaque détail du bateau.

« Je sais, dit-elle. Il y a de gros crochets en cuivre fixés au pont. Papa les utilisait pour maintenir la porte ouverte de manière à pouvoir faire un saut pour chercher une bière, même quand il barrait.

— C'est ça. »

Slater la regardait de nouveau.

« A quoi ressemble la boîte ?

— Elle est vert foncé. En acier. Soixante centimètres de long. A peu près.

— A-t-elle une poignée ?

— Oui. Une poignée de métal sur le couvercle.

— Il va me falloir un filin. »

Constance cherchait le meilleur moyen d'enlever la boîte de l'épave.

« Un filin long, solide... et un portemanteau de métal.

— Pas de problème. »

Hannibal prit la barre pendant que Slater

cherchait les objets demandés. A la force du poignet, Constance modifia la forme du portemanteau de manière à en faire un losange. Puis elle tordit le crochet de côté, de façon qu'il fût perpendiculaire au cadre.

Après quoi, elle enroula le filin de nylon et en attacha un bout au portemanteau.

« Bon, dit-elle. J'y vais. »

Peter s'avança.

« Si vous voulez... » commença-t-il.

Il n'avait pas la moindre envie d'accompagner Constance. Après ce qui lui était arrivé, il avait l'impression d'avoir fait assez de plongée pour des années. Mais il se sentait obligé de se proposer. Il n'aurait su expliquer pourquoi, mais, s'il ne l'avait pas fait, il se serait senti déshonoré.

« Si vous voulez, dit-il, j'irai avec vous. »

Constance lui sourit.

« Non, Peter. Je préfère que vous restiez à bord pour le cas où quelque chose n'irait pas. »

Peter lui sourit en retour, avec reconnaissance. Sans doute voulait-elle l'épargner. Mais elle l'avait fait sans l'humilier le moins du monde.

Il la vit suspendre le filin de nylon à son épaule, ajuster son masque, et culbuter en douceur dans l'océan.

Fluke somnolait à quelques mètres du bateau. Elle ouvrit les yeux dès que Constance nagea vers elle, et vint à sa rencontre avec autant d'impétuosité que d'ordinaire. Pendant une minute, Constance la caressa, mettant sa tête tout près de la petite baleine. Peter voyait bien qu'elle lui parlait, mais la distance l'empêchait d'entendre ce qu'elle lui disait.

Lorsqu'il lui arriva d'y repenser plus tard,

il ne parvint jamais à se figurer comment Constance avait « expliqué » à Fluke ce qu'elle lui demandait de faire. Pas avec des mots, sûrement. Mais peut-être n'avaient-elles pas besoin de mots pour se comprendre ?

Il se rappela ce qu'il avait ressenti lorsqu'il les avait observées dans la piscine de Slater. L'amitié, la confiance qui les unissaient étaient si profondes qu'elles semblaient n'avoir qu'une volonté pour deux. Ce que Constance désirait, Fluke le désirait aussi.

Elles plongèrent. Hannibal ne quittait pas des yeux l'écran de télévision.

Il vit le rond de lumière apparaître quelque part dans les profondeurs de l'océan quand Constance alluma la lampe fixée à la tête de Fluke. Il suivit les évolutions du pinceau lumineux dans les eaux ténébreuses de l'abîme. Une armée de petits poissons traversa l'écran.

Et puis, de nouveau, le fond : le sable, les cailloux, un rocher couvert de coquillages.

Slater se tenait à la barre, derrière Hannibal, qui le sentait de plus en plus tendu.

Soudain, la caméra de Fluke accrocha l'avant d'un bateau.

« Le voilà ! » s'écria Peter en s'approchant d'Hannibal.

La proue devenait de plus en plus grande, emplissait le rond de lumière. Puis elle disparut, aussi rapidement qu'un panneau sur l'autoroute. Maintenant la lumière éclairait un pont. Hannibal aperçut les rayons de la barre. Le rond s'obscurcit un instant, puis redevint brillant, plus brillant encore. Hannibal distingua une chaise, un hublot...

Fluke avait pénétré dans la cabine !

Pendant plusieurs secondes, les images se succédèrent si rapidement qu'il fut impossible de voir ce qu'elles représentaient. Slater bouillait d'impatience.

Puis les images cessèrent de danser et de vibrer. La caméra se fixa sur un seul objet, qu'on distingua de plus en plus clairement.

C'était une boîte de métal.

« La voilà ! »

Slater se penchait par-dessus la barre comme s'il avait pu saisir la boîte qui apparaissait sur l'écran.

La boîte devenait de plus en plus grande ; elle remplissait le rond de lumière à mesure que la tête de Fluke s'en approchait.

Soudain, elle parut tomber et disparut complètement. Il n'y eut plus sur l'écran qu'un rond blanc. Vide.

Puis, le mouvement reprit. Les images passaient si vite qu'on ne les distinguait pas les unes des autres. Un instant, Hannibal crut apercevoir la lisse du bateau... Le rond d'eau nuageuse reparut. Fluke remontait vers la surface.

« Cette bête est vraiment stupide ! grondait Slater en jurant à mi-voix, ses deux mains agrippant la barre. Elle n'a même pas essayé de tirer la boîte ! »

Et il se détourna, l'air furibond, les yeux fixés sur la côte.

Mais Hannibal ne faisait plus attention à lui. Il venait de remarquer sur l'écran quelque chose qui avait échappé à Slater : une vision de Constance en train de nager. Sa main se tendait vers la lentille. La lumière disparut de l'écran, qui devint tout noir. Constance avait débranché la caméra.

« Vous, prenez la barre! commanda Slater à Peter, en lui saisissant le bras. Et tenez-la bien droit, si vous en êtes capable! »

Puis, l'homme courut voir ce qui se passait dehors.

Hannibal suivit Slater pendant que Peter prenait la barre, et se rendit sans bruit jusqu'à l'arrière, où il prit position près du casier. Il ne quittait pas la mer des yeux, et il attendait.

Il n'eut pas à attendre longtemps. A vingt mètres de la vedette, la tête de Constance apparut soudain. Le filin de nylon n'était plus enroulé autour de son épaule.

Fluke nageait auprès d'elle. Quand la petite baleine leva la tête, Hannibal remarqua encore autre chose. La caméra et la lampe avaient disparu... remplacées par une boîte de métal vert attachée au harnais qui entourait la tête de Fluke.

Hannibal ouvrit le casier et saisit le sac de plastique que Peter y avait caché. Il déchira le sac et en retira la mini-radio. Il déplia l'antenne dans toute sa longueur et mit l'appareil sur « émission ».

« Bob, souffla-t-il dans le micro. Bob, envoie la musique! »

Un regard vers Slater. Le petit homme chauve se penchait sur l'eau, et il interpellait Constance :

« Ramenez-moi ça ici! Ramenez-moi cette boîte ici! Vous m'entendez? »

Hannibal, cependant, répétait impatiemment :

« Envoie la musique, Bob! Envoie la chanson de Fluke! »

Chapitre 15

La boîte perdue

«Compris, Babal. Terminé pour moi.»

Bob éteignit la mini-radio et la déposa sur le rocher près de lui.

Impossible, d'où il était, d'apercevoir la vedette de Slater. A quelle distance se trouvait-elle? Il n'en avait pas la moindre idée. Mais il en avait assez lu sur les baleines pour savoir qu'elles possèdent une ouïe extraordinaire. Et pourtant, elles n'ont pas d'oreilles externes, mais de petites cellules auditives dans la peau, derrière les oreilles. Et des oreilles internes bien plus efficaces que celles des humains. Elles disposent d'un véritable sonar naturel, qui leur permet de saisir l'écho de leurs propres voix avec une précision telle qu'elles connaissent les dimensions et la forme exacte de tout objet submergé à des centaines de mètres, et qu'elles entendent les salutations ou les appels au secours de leurs congénères à des kilomètres sous l'eau.

Bob enleva son chandail et ses chaussures. Il saisit le magnétophone, toujours enfermé dans son boîtier hermétique en métal, et il pénétra dans la mer. Il plaça le boîtier sous l'eau et l'y maintint, pendant que la bande se déroulait lentement. La chanson de Fluke, enregistrée par elle-même, résonnait dans l'océan. A plein volume.

Aucune oreille humaine ne l'entendrait, bien sûr. Mais Fluke? Peut-être.

A bord, Hannibal se tenait toujours près du casier, où il cacha prestement sa mini-radio.

A vingt mètres de là, Fluke et Constance flottaient côte à côte. Slater leur criait toujours de rapporter la boîte.

Hannibal leva la main : c'était le signal prévu. Il signifiait qu'il avait obtenu le contact radio avec Bob.

Constance lui répondit d'un signe. Elle avait compris. Elle caressa la tête de Fluke, et les deux complices plongèrent à nouveau.

« Qu'est-ce que ça veut dire, tout ça? » rugit Slater en se redressant.

Il se précipita dans le cockpit, repoussa Peter, saisit la barre et tourna le bateau dans la direction de l'endroit où Fluke et Constance avaient disparu.

Il l'avait presque atteint lorsque Constance refit surface. Slater arrêta la vedette près d'elle et rendit la barre à Peter.

« Restez sur place! » ordonna-t-il en retournant sur le pont.

Et à Constance, il cria :

« Où est la boîte? »

La jeune femme ne répondit pas. Elle tenait la lampe et la caméra d'une main. De l'autre, elle saisit la lisse et se hissa à bord.

« Où est cette baleine? »

Constance ne répondait toujours pas. Elle enleva son masque et se débarrassa de la bouteille d'oxygène.

« Mais enfin, où est-elle ? vociférait Slater, les yeux rivés à la mer. Dites-moi où elle est passée ! »

Constance haussa les épaules.

« Faites un effort d'imagination, monsieur Slater.

— Que voulez-vous dire ? »

Slater se tourna vers Hannibal.

« Donnez-moi ces jumelles. »

Hannibal les lui tendit. Slater les porta à ses yeux, scrutant l'océan autour de lui.

Fluke était invisible. Où qu'elle se trouvât, quelle que fût la direction qu'elle avait prise, elle nageait sous l'eau.

« Les baleines sont comme ça », commenta Constance.

Dans le dos de Slater, elle fit un clin d'œil à Hannibal.

« Elles se montrent très amicales, et puis, on ne sait pas pourquoi, elles s'emballent et disparaissent sans même vous dire au revoir. Des baleines emballées, quoi... »

Slater abaissa ses jumelles.

« Mais elle a emporté ma boîte ! hurla-t-il. Vous la lui aviez attachée sur la tête. Pourquoi avez-vous fait ça ? ajouta-t-il d'un ton soupçonneux.

— Il le fallait bien, répondit Constance en haussant une nouvelle fois les épaules. C'était le seul moyen de la remonter.

— Pourquoi ne l'avez-vous pas rapportée vous-même ?

— J'étais tout au fond. Comment aurais-je pu

remonter en portant cette grosse boîte de métal contenant toutes ces...

— Elle n'était pas si lourde. Elle était...

— Laissez-moi parler! s'écria Constance. Je vous répète que le seul moyen de rapporter cette boîte à bord, c'était de la mettre sur la tête de Fluke à la place de la caméra.»

Elle saisit la serviette qui pendait sur la lisse et se mit à essuyer ses cheveux, noirs comme ceux des Indiens.

«Je regrette, monsieur Slater, conclut-elle. Vous savez, c'est aussi triste pour moi que pour vous. La moitié de ces calculettes appartiennent à mon père. J'ai perdu autant d'argent que vous, quand Fluke a pris la poudre d'escampette.

— La poudre d'escampette...» répéta Slater.

Impuissant et plein d'amertume, il porta de nouveau ses jumelles à ses yeux.

«Où croyez-vous que cette baleine soit allée?» demanda-t-il.

Constance jeta un coup d'œil au détective en chef.

«Votre avis, Babal? interrogea-t-elle.

— Ce n'est pas un avis, répondit Hannibal, seulement une hypothèse...»

Son esprit travaillait à toute vitesse. Fluke avait au moins quinze minutes d'avance maintenant. Même en poussant son moteur, Slater ne pourrait plus la rattraper. Or, Bob était seul dans la crique. Il aurait peut-être besoin d'aide.

«Ce n'est qu'une hypothèse, répéta Hannibal, mais je pense que Fluke aurait pu retourner à la crique. C'est là que nous l'avons remise dans l'océan ce matin.

— Pourquoi ferait-elle une chose pareille?

demanda Slater en jetant à Hannibal un regard incrédule.

— Un instinct de baleine, répondit le garçon d'un ton innocent. Je vous l'ai dit : ce n'est qu'une hypothèse, monsieur.

— Hum..., fit Slater en regardant la côte. Bon. D'accord. Prenez la barre, mon garçon. Direction la crique!»

Il passa à grands pas sur le pont avant. Hannibal reprit la barre à Peter.

«En avant toute! commanda Slater, levant ses jumelles.

— Bien, amiral!» répliqua le détective en chef.

«En avant toute», cela convenait parfaitement au détective en chef. Il était aussi pressé que Slater d'atteindre la crique. Il voulait savoir si son stratagème avait réussi, si Fluke, attirée par sa propre petite chanson, était bien allée rapporter la boîte de métal à Bob.

Parce que, si c'était le cas, le détective en chef avait bien l'intention de l'ouvrir cette boîte, et de regarder ce qu'il y avait dedans.

Chapitre 16

Le visage de l'homme sans visage

Bob regarda sa montre : vingt-cinq minutes. Cela faisait vingt-cinq minutes qu'il passait la chanson de Fluke. Dans cinq minutes, la bande serait terminée. Il devrait l'enrouler avant de recommencer.

Sa position n'avait rien de confortable. Accroupi, pour tenir le magnétophone sous l'eau, il ne cessait de taper des pieds et de bouger les orteils : l'eau était si froide qu'il avait peur de voir ses jambes geler s'il cessait de les remuer.

Il se redressa légèrement. Etait-ce le fruit de son imagination, ou avait-il vraiment aperçu une irrégularité dans l'océan, à une centaine de mètres de la côte ?

Voilà que ça recommençait : une boursouflure sur la surface polie qui ondulait. Bob ne s'était donc pas trompé. Il fut si ému qu'il en oublia de taper des pieds. Il attendait, les yeux fixés sur l'océan.

La première chose qu'il vit fut la boîte de métal. Elle surgit de l'eau à deux mètres de lui. Et puis la tête de Fluke creva la surface. La baleine vint presser son nez contre les genoux de Bob.

« Fluke! Fluke! »

Bob ne savait plus qu'il avait froid. Il se précipita en avant et alla se jeter contre Fluke.

« Fluke! Bonne bête! »

Fluke semblait ravie de le revoir. Elle se dressa sur sa queue et parut interroger le garçon du regard.

« Désolé, Fluke, dit Bob en arrêtant le magnétophone. Nous t'avons joué une petite farce. »

Il ne savait pas ce que la baleine s'était attendue à trouver au bout du voyage. Une autre baleine? Ou bien s'était-elle reconnue? Avait-elle simplement ressenti la même curiosité que Bob aurait éprouvée s'il avait entendu sa propre voix?

« Il ne faut pas nous en vouloir, Fluke, reprit le garçon. Je vais t'enlever ton harnais, prendre cette boîte, et te donner quelque chose de bon. »

Le matin, Constance avait apporté un seau de poisson sur la plage. Bob défit le harnais en quelques secondes et l'enleva de la tête de Fluke.

La boîte de métal lui parut curieusement légère.

« Reste ici, Fluke, commanda Bob. Reste ici et attends-moi. Je vais t'apporter ton dîner. »

Il fit demi-tour et remonta vers la terre ferme, pressant la boîte de métal vert contre sa poitrine.

Il était presque à sec quand il vit l'homme qui

se tenait là, au milieu de la plage, et qui l'observait.

C'était un personnage de haute taille, vêtu d'un blouson, le bord de son chapeau rabattu sur ses yeux. Ce qui frappa d'abord Bob, ce fut la largeur de ses épaules et la grosseur de ses bras.

Et puis, comme l'homme se dirigeait vers lui, Bob découvrit qu'il n'avait pas de visage. Pas de visage visible, en tout cas, car un bas de nylon le cachait entièrement.

« Ça va, dit l'homme. Donne-moi cette boîte. »

Bob n'avait entendu cette voix qu'une seule fois, dans le haut-parleur du Q. G., mais il reconnut tout de suite son accent traînant.

La dernière fois que Bob avait vu cet individu, c'était quand Peter l'avait plaqué au sol, juste avant que les Trois jeunes détectives ne disparussent dans la nuit.

« Donne-la-moi. »

L'homme avait hâté le pas. Il n'était plus qu'à deux mètres.

Bob ne répondit rien. Qu'aurait-il pu dire ? Serrant toujours la boîte de métal contre sa poitrine, il battit en retraite vers l'océan.

« Donne-moi cette boîte, je te dis. »

L'homme bondit en avant. Bob recula encore.

Il avait de l'eau jusqu'aux genoux. Il reculait toujours.

Pas assez vite, malheureusement. L'homme tendit la main et ses doigts se refermèrent sur la boîte, essayant de l'arracher à l'étreinte de Bob.

Le garçon tenait toujours la boîte, mais il ne pouvait se défendre. D'ailleurs, à quoi cela aurait-il servi, contre un géant avec des épaules pareilles ?

Tout ce que Bob pouvait faire, c'était de ne pas lâcher prise et de reculer encore dans la mer. L'eau lui venait maintenant jusqu'à la taille. L'homme tirait la boîte. Un instant encore, et le jeune détective serait renversé dans l'eau. Sous l'eau. Alors, il serait bien forcé de céder.

Bob allait perdre l'équilibre lorsque, d'un seul coup, l'homme décolla à la verticale. Bob le vit s'élever dans les airs comme s'il avait été soulevé par une grue.

Il montait, il montait toujours. Puis il changea de direction. Il redescendait, emporté par son propre poids. Et le voilà qui tombait de tout son long dans la mer. Il se débattait, s'ébrouait...

Mais il ne se débattit pas longtemps. La tête de Fluke apparut sous lui, et d'un seul mouvement de son corps vigoureux, la petite baleine le lança de nouveau en l'air. On aurait cru qu'elle jouait au football et qu'elle faisait tête après tête. Gaiement, elle le projetait de plus en plus loin vers le large.

L'homme s'était mis à crier. Il appelait au secours. Il venait encore une fois de retomber sur le dos et il allait se noyer.

Fluke plongea, mais le cri de l'homme l'arrêta. Elle leva la tête, considéra le géant désarticulé, et le repoussa doucement vers la côte.

Et pourtant l'homme risquait toujours de se noyer. Battant désespérément des bras et des jambes, il coulait comme si un poids énorme lui écrasait la poitrine.

Un instant plus tôt, Bob aurait juré que cet

homme était son pire ennemi. A présent, il se désolait pour lui. Impossible de rester là sans rien faire, à regarder cet homme se noyer.

Le garçon remonta la plage en courant, cacha la boîte derrière un rocher, et se jeta à l'eau.

Quand il atteignit l'homme, son visage masqué était tout ce qui émergeait encore. Fluke, l'air amical mais perplexe, nageait auprès de lui.

« Passe dessous, Fluke! commanda Bob. Arrête de jouer au ping-pong! Soulève-le pour l'empêcher de se noyer. »

Comment Fluke comprit-elle ce que lui criait le garçon? En tout cas elle fit ce qu'il fallait. Elle se glissa sous le géant et commença à le soulever doucement. Bientôt, la tête et la large poitrine de l'homme réapparurent au-dessus de l'eau. Il se débattait toujours, essayant de trouver la fermeture Éclair de son blouson et de l'enlever.

Bob trouva la petite plaque de métal qui commandait l'ouverture et tira dessus. Le blouson s'ouvrit tout entier et Bob le fit passer pardessus les épaules et les bras de l'homme.

Incrédule, le regard du jeune détective passait du blouson qu'il tenait dans ses mains à la poitrine du personnage.

Pas étonnant, si le géant semblait avoir été entraîné vers le fond par un poids trop lourd. Le blouson était entièrement doublé de mousse de plastique, une mousse qui avait absorbé l'eau comme une éponge, se gonflant et s'alourdissant à mesure.

Sans son blouson rembourré, l'homme n'avait plus du tout l'air d'un géant. Au contraire, il paraissait mince, chétif, presque pitoyable. Bob et Fluke l'aidèrent à regagner le rivage. Quand il n'y eut plus assez d'eau pour que Fluke pût nager, Bob saisit l'homme par les chevilles et le traîna jusqu'au sable sec.

L'homme resta là, haletant, épuisé, à peine conscient. Il avait perdu son chapeau dans la mer. Le bas de nylon lui couvrait toujours le visage.

Bob le lui enleva.

Il reconnut le long nez décharné, les joues légèrement creuses, le pli ressemblant à une cicatrice qui marquait l'œil droit.

Il reconnut Paul Dunter.

Chapitre 17

Ce qu'il y avait dans la boîte

« La voilà ! cria Slater. La voilà enfin, cette maudite baleine ! »

Il abaissa ses jumelles.

« Vous aviez raison, mon garçon. Elle est retournée dans la crique. »

Il se précipita dans le cockpit et prit la barre des mains d'Hannibal.

Constance avait aussi vu Fluke. Tandis que Slater barrait vers la crique, elle se pencha :

« Fluke ! appela-t-elle. Fluke !... »

La baleine l'entendit, leva la tête et nagea vers elle.

« La boîte ! rugit Slater. Elle a perdu la boîte ! »

Hannibal regardait le rivage. Il aperçut un homme couché dans le sable et Bob qui se tenait debout près de lui. Bob agita les bras, puis il leva son pouce et son index en forme d'O : tout allait bien.

« Plus tôt nous serons à terre, Peter, et mieux cela vaudra, dit Hannibal. Pas la peine de donner à Slater le temps de comprendre ce qui s'est passé.

— Bonne idée », répondit Peter.

Il portait encore son costume de plongée. Sautant par-dessus bord, il nagea rapidement jusqu'à la plage. Hannibal enleva la chemise qu'il avait empruntée dans le casier de la vedette et suivit son ami du mieux qu'il put.

Lorsqu'ils eurent reconnu l'homme haletant et trempé qui gisait sur la plage :

« Paul Dunter ! s'écria Hannibal. Qu'est-ce qu'il fait ici, celui-là ? Bob, que s'est-il passé ? »

Bob se hâta d'expliquer les événements qui s'étaient produits depuis le retour de Fluke. Il raconta comment il avait enlevé la boîte de métal de la tête de Fluke, comment le géant l'avait attaqué, comment la baleine était arrivée à sa rescousse, et comment il avait fini par découvrir que le géant n'en était pas un. C'était simplement un homme nommé Paul Dunter, un échalas grand et maigre qui avait endossé un blouson truqué.

« Il s'est presque noyé, acheva Bob. Mais je lui ai fait la respiration artificielle et je pense qu'il s'en tirera. Il n'est pas très costaud et ses émotions l'ont épuisé : voilà tout. »

Hannibal lança un coup d'œil rapide par-dessus son épaule. Slater avait amené la vedette aussi près du rivage que possible et il venait de jeter l'ancre. A présent, il gagnait la terre à gué, l'air menaçant.

« La boîte de métal ? souffla Hannibal à Bob. Qu'en as-tu fait ?

— Je l'ai dissi... »

Bob n'alla pas plus loin. Slater avait maintenant les pieds sur le sable sec et il dévisageait les garçons, sans prêter la moindre attention à Paul Dunter, dont la présence ne semblait ni le surprendre ni l'intéresser. C'était sur Bob qu'il fixait un regard furibond.

« Allez, mon garçon ! Donne-moi la boîte.

— Quelle boîte, monsieur ? »

Bob donna un coup de coude à Peter. Le moment n'était-il pas venu de recourir à une des tactiques favorites des Trois jeunes détectives : bondir à vélo et déguerpir au plus vite ? Avec la boîte, bien entendu.

« Ne fais pas l'innocent ! » tonna Slater.

Et, comme s'il avait pu lire les pensées de Bob, il ajouta :

« Fini de jouer, mon garçon. »

Slater était mouillé jusqu'à la taille, mais la courte veste en jean était parfaitement sèche. Il glissa la main droite à l'intérieur. Quand il l'en ressortit, il brandissait un petit pistolet à canon court, qu'il pointa sur Bob.

« La boîte en métal, fit-il de sa voix traînante. Celle que la baleine a rapportée. Je la veux. »

Bob, ne sachant que faire, se tourna vers Hannibal. Hannibal, lui, regardait l'arme que tenait Slater. Le détective en chef n'avait jamais tiré lui-même, mais il s'y connaissait un peu en armes à feu. Le pistolet de Slater avait le canon si court qu'il ne devait plus être très précis au-delà de dix mètres. L'ennui, c'était que, pour le moment, il n'était pas à plus de trente centimètres de la poitrine de Bob.

« Il va falloir la lui donner, Bob », dit Hannibal.

Bob inclina la tête. C'était bien son avis.

Il remonta la plage en direction du rocher derrière lequel il avait caché la boîte. Slater le suivait de près. Bob tira la boîte de sa cachette. Slater étendit la main.

« Nnnnnnon! »

D'où ce hurlement provenait-il? Un instant, Bob se le demanda. Puis il vit que Paul Dunter s'était relevé et que, tant bien que mal, il se dirigeait vers eux.

Slater fit volte-face. Le cri l'avait surpris, lui aussi. Comme il se retournait vers Dunter, il cessa de surveiller Bob. Hannibal était à quelques mètres de là. Le détective en chef fit un signe de la tête et tendit les mains. Bob lui jeta la boîte. Hannibal l'attrapa.

« Menteur! criait Dunter à Slater. Traître! Crapule! Maître chanteur!... »

Il s'était jeté sur Slater et cherchait à l'étrangler. Slater avait abaissé son pistolet et cherchait à se dégager. Paul Dunter tomba en arrière, entraînant Slater avec lui.

Hannibal tenait toujours la boîte. Peter était à dix mètres de lui, plus bas sur la plage. Constance, qui était restée avec Fluke, nageait rapidement vers la plage, la baleine à ses côtés.

Hannibal lança la boîte à Peter.

Slater se releva lentement, laissant Dunter terrassé sur le sable. L'échalas n'avait plus de forces pour se battre. Il se redressa péniblement et se mit à genoux.

Peter avait attrapé la boîte.

Il voyait Constance, qui nageait vers lui. Il voyait Slater qui regarda d'abord Bob, puis Hannibal, se demandant où était passée la précieuse boîte. Peter n'attendit pas que les soupçons du chauve se fussent tournés vers lui.

La boîte serrée contre sa poitrine, il piqua un sprint vers l'océan.

L'homme chauve se lança à sa poursuite.

Peter atteignit le bord de l'eau et s'y enfonça jusqu'à la taille. Slater n'était plus loin de lui, maintenant.

« Halte ! »

Peter ne voyait pas l'homme, mais il sentait le pistolet braqué sur son dos. C'était un des sentiments les plus désagréables qu'il eût jamais éprouvés.

Il s'arrêta.

« Ici ! » cria Constance.

Elle était toujours dans l'eau et elle tendait les mains.

« Peter, ici ! »

Peter hésita. Il sentait ce pistolet aussi distinctement que si le canon en avait été appuyé contre ses reins. La boîte de métal était légère dans ses mains. Constance attendait toujours...

Peter avait beaucoup joué au rugby. Pendant un instant, il réagit comme il l'aurait fait si la partie était devenue serrée. Il oublia Slater. Il oublia presque le pistolet de Slater. Il ne se rappelait qu'une chose : c'était lui qui tenait le ballon et Constance lui criait de faire une passe.

Il plia les genoux, baissa les coudes, puis, redressant soudain son corps et projetant les bras vers le haut, il lança la boîte en une longue trajectoire vers la mer.

Constance l'attrapa.

Peter plongea sous l'eau.

Il y resta aussi longtemps qu'il le put, retenant son souffle. Quand il n'y tint plus, il releva lentement la tête. Constance était à vingt mètres au large. Elle surveillait la côte. Fluke flottait à côté d'elle, tenant la boîte de métal dans sa gueule ouverte.

La tête au ras de la mer, Peter se tourna et regarda vers la plage. Slater avait rangé son pistolet. Il se tenait au bord de l'eau, dans la position du taureau qui va charger et qui baisse les cornes. Mais, pour le moment, le taureau chauve avait un peu perdu ses moyens, et il rassemblait ses forces en prévision de ce qui allait suivre.

Hannibal et Bob étaient devant lui. Hannibal avait l'air de faire un discours. Peter les rejoignit.

« Nous ne voulons pas vous voler, monsieur, expliquait le détective en chef. La moitié de tout ce qui se trouve dans cette boîte vous appartient, nous en sommes d'accord. Tout ce que nous essayons de faire, c'est de protéger Constance et son père. Nous voulons qu'ils reçoivent leur juste part. »

Pendant un long moment, Slater resta sans répondre. Il respirait très fort.

« Qu'est-ce que vous proposez ? demanda-t-il enfin.

— Je propose que nous emportions cette boîte en ville. De préférence chez le chef Reynolds. Il commande la police de Rocky. C'est un homme très équitable. Comme personne n'a contrevenu à aucune loi, vous pouvez lui raconter votre histoire. Constance expliquera le rôle de son père. Alors le chef Reynolds décidera quelle part du contenu de la boîte vous appartient, et quelle part revient à Constance. »

Il y eut un autre long silence. Slater regardait la mer, où Constance et Fluke flottaient côte à côte. Jamais il ne mettrait la main sur cette boîte tant qu'elle serait sous la garde de la baleine. Pas sans la permission de Constance.

« D'accord, dit-il enfin d'un ton sinistre. Nous remontons tous sur la vedette et nous gagnons le port de Rocky. De là, nous allons voir votre policier. Ça te va, mon garçon ? »

Bob hocha la tête. Slater avait rangé son pistolet, mais il aurait tôt fait de le tirer de nouveau de sa poche. Une fois sur son bateau, il attendrait le bon moment pour se débarrasser d'eux et disparaître avec la boîte.

« Ce n'est pas la peine de faire un si grand détour, monsieur, répondit courtoisement le détective en chef. Nous pouvons appeler le chef Reynolds d'ici. Il nous enverra une voiture.

— L'appeler d'ici ? Et comment ? »

Slater redevenait sarcastique.

« Il n'y a pas de téléphone dans les rochers. Et la plus proche cabine...

— La plus proche cabine est à un kilomètre et demi par la route. Au *Café de la Falaise.* Bob se fera un plaisir d'y aller à bicyclette et de passer un coup de fil au chef.

— D'accord, dit Bob.

— Et maintenant, si vous avez l'obligeance de laisser ici votre pistolet, poursuivit Hannibal, Constance ordonnera à Fluke de rapporter la boîte et nous irons tous jusqu'à la route où nous attendrons la voiture de police. Ce n'est pas une bonne idée, ça, monsieur ? »

Slater ne pensait pas du tout que ce fût une bonne idée. A en juger par son expression, c'était même une idée exécrable. Mais que pouvait-il faire ? Il acquiesça de la tête.

Bob alla téléphoner au chef Reynolds.

Constance donna à manger à Fluke pendant qu'Hannibal et Peter s'assuraient que Slater laissait bien son pistolet sur un rocher. Puis Constance dit au revoir à Fluke. Elle lui promit de revenir bientôt. La petite baleine paraissait triste. Elle vint tout près du bord pour regarder Constance s'éloigner.

Ils étaient déjà en chemin, Constance portant toujours la boîte, lorsque Hannibal se rappela soudain l'existence de Paul Dunter.

Paul Dunter avait disparu.

L'attente ne fut pas longue. Bob arriva le premier, bientôt suivi par une voiture de police et, un quart d'heure plus tard, tout le monde pénétrait dans le bureau du chef Reynolds.

Le policier ouvrit de grands yeux en voyant toute cette compagnie débarquer chez lui. Les détectives avaient repris les chandails et les chaussures qu'ils avaient laissés près de leurs bicyclettes, et Peter avait apporté à Constance une robe de bain venant du bateau, mais tous n'en étaient pas moins hagards et trempés. On aurait cru des noyés revenus hanter les vivants.

« Eh bien, que se passe-t-il, Babal ? » demanda le policier, après avoir fait apporter des chaises pour tout le monde.

Le chef connaissait Babal depuis des années. Il y avait eu des cas où, à son avis, les Trois jeunes détectives avaient pris des initiatives exagérées. Après tout, ce n'étaient que des enfants, et Reynolds trouvait qu'ils couraient quelquefois trop de risques. Mais il appréciait l'intelligence d'Hannibal. Plus d'une fois, le cerveau du garçon avait aidé le chef de police à résoudre telle ou telle énigme.

Hannibal désigna Slater :

« Voici M. Oscar Slater, dit-il. Le mieux serait qu'il vous raconte lui-même son histoire.

— Allez-y, monsieur Slater. »

Slater se leva. Il tira son portefeuille trempé de sa poche et tendit sa carte d'identité au policier. Puis, pendant que l'un des subordonnés de Reynolds l'examinait, Slater commença son histoire.

Il ne cacha rien de son opération de contrebande au Mexique, en compagnie de Diego Carmel. Il raconta la tempête, le naufrage, et la manière dont la boîte de métal avait été récupérée dans la cabine.

« Mon jeune ami, Hannibal Jones, poursuivit Slater, était d'avis que la boîte devait être ouverte dans votre bureau pour éviter toute discussion sur la part qui m'appartient et celle qui revient au père de Mlle Carmel. Et, franchement, je me suis dit que c'était la meilleure marche à suivre. »

Il tira une clef de sa poche et la tendit à Reynolds.

« Vous voulez bien apporter la boîte, Constance ? »

Hannibal ne put s'empêcher d'admirer la manière dont Slater traitait l'affaire. Il se conduisait comme un honnête citoyen qui ne désirait qu'une chose : que justice fût faite.

Constance déposa la boîte sur le bureau du chef. Celui-ci introduisit la clef dans la serrure et ouvrit la boîte de métal.

La stupéfaction se peignit sur le visage de Constance. Le chef lui-même parut quelque peu surpris. Hannibal se leva et, accompagné de Bob et Peter, s'approcha du bureau.

Bob et Peter paraissaient complètement éblouis.

Le détective en chef, lui, avait l'air de trouver ce qu'il voyait tout naturel.

La boîte était pleine de billets de banque! Des billets de dix dollars, tout neufs, tout crissants.

Ils étaient rangés par piles, chacune d'elles serrée par un élastique. Hannibal fit un rapide calcul mental de l'épaisseur des piles et de leur nombre et conclut que la boîte devait contenir près d'un million de dollars.

« Eh bien voilà, chef, dit Slater sans s'émouvoir. C'est le bénéfice de mon voyage à La Paz. Une partie de cet argent... »

Il s'arrêta : le téléphone venait de sonner sur le bureau de Reynolds qui décrocha et écouta sans mot dire pendant quelques secondes. Puis il raccrocha.

« Continuez, monsieur Slater. Nous avons vérifié votre identité. Vous n'avez jamais été condamné. Vous n'êtes poursuivi dans aucun Etat. Vous disiez donc qu'une partie de cet argent...

— Oui, chef. Une partie représente ce que le capitaine Carmel et moi-même avons gagné en vendant ces calculettes à La Paz. Le reste m'appartient. C'est le bénéfice de la vente d'une propriété que j'avais au Mexique : quelques hectares de terrain et un petit hôtel. Mlle Carmel n'a qu'à prendre la part qui revient à son père dans l'affaire des calculettes, et tout sera réglé. »

Le chef de police hocha la tête, l'air pensif.

« Dans la mesure où vous déclarez votre bénéfice aux impôts, monsieur Slater, votre suggestion me paraît équitable. »

Il se tourna vers Constance.

« Quelle est la part de votre père, mademoiselle ? »

Constance sourit.

« Je n'en sais rien. Je voudrais seulement pouvoir payer sa note d'hôpital. Dix mille dollars suffiraient, ajouta-t-elle avec un regard pour Slater.

— Va pour dix mille dollars. »

Slater tendit la main vers la boîte.

« Venez à la banque avec moi demain matin, Constance. Je vous signerai un chèque pour cette somme. »

Voilà. Il avait la main sur la boîte. Il refermait le couvercle. Dans un instant, il aurait quitté le bureau. Avec l'argent.

Hannibal fit un pas en avant. Il se pinçait la lèvre inférieure.

« Monsieur, dit-il au chef de police, je ne voudrais pas me mêler de ce qui ne me regarde pas. Mais j'ai une petite idée à vous soumettre.

— Laquelle, Babal ? »

Le chef tendait déjà la clef à Slater pour qu'il pût refermer la boîte avant de l'emporter.

« Vous devriez peut-être jeter un coup d'œil aux numéros de ces billets.

— Les numéros, Babal ? »

Hannibal ouvrit la boîte et y prit deux piles de billets... tout neufs, tout crissants.

« Je parie qu'un coup de fil au Trésor vous apprendrait que tout cet argent est faux. »

Chapitre 18

Dernière visite à Alfred Hitchcock

« La police a eu tôt fait de coffrer Paul Dunter, dit Hannibal. Il essayait de gagner le Mexique dans cette vieille voiture qui perd de l'huile. Elle est tombée en panne près de San Diego. Une fois arrêté, il a passé des aveux complets. »

Les Trois jeunes détectives étaient assis autour de la table de jardin qui marquait le centre de l'immense salle de séjour d'Alfred Hitchcock. Ils étaient venus lui rendre compte de leur enquête sur « la baleine emballée » — c'était le titre que Bob avait choisi pour ses notes.

M. Hitchcock, renversé dans sa chaise à bascule, écoutait attentivement et posait de temps en temps une question.

« Dunter a confessé avoir imprimé cet argent ? » demanda-t-il.

Bob fit oui de la tête, non sans mélancolie. Bien que Dunter eût fait tout son possible pour les empêcher de récupérer la boîte de métal perdue dans le naufrage, saboté les freins de la camionnette de Constance, enlevé Hannibal, tenté d'assassiner Peter, il ne pouvait s'empêcher d'éprouver quelque pitié pour le grand échalas.

« Oscar Slater l'y a forcé, expliqua-t-il. En le faisant chanter.

— En le faisant chanter ? Comment cela ? »

Alfred Hitchcock jeta un coup d'œil vers la cuisine, où Hoang Van Dong était en train de préparer leur déjeuner. Tirant un paquet de bonbons de sa poche, le cinéaste en offrit furtivement à ses invités.

« Je suppose que j'ai tort, dit-il, en attaquant à pleines dents un caramel, mais je ne peux pas m'en empêcher : j'ai trop faim tout le temps.

— Dong vous sert toujours du riz brun, monsieur ? s'enquit Peter avec compassion.

— C'est pis. C'est bien pis. Vous verrez par vous-mêmes. Mes excuses, Bob. Continuez. Oscar Slater avait un moyen de faire chanter Dunter. Lequel ?

— Ils avaient travaillé ensemble en Europe ; Paul Dunter était un graveur de talent. C'était lui qui imitait et imprimait l'argent. Slater s'occupait de la distribution. Il avait organisé tout un réseau pour écouler les faux billets sur le continent.

— Jusqu'au moment où la police lui a mis la main au collet ? demanda Alfred Hitchcock.

— Pas à Slater, répondit Hannibal. Il s'est échappé avec presque tout le butin. Mais la police française s'est lancée aux trousses de Paul Dunter. Il y avait un mandat d'arrêt contre lui. Il aurait sûrement été condamné à plusieurs années de prison. Alors, il a pris la fuite et s'est réfugié au Mexique.

— Après avoir pris la décision de ne plus faire de bêtises, intervint Bob. Il ne voulait plus fabriquer de fausse monnaie. Il voulait ouvrir une honnête petite imprimerie à La Paz. Et c'est ce qu'il a fait. Malheureusement, Oscar Slater l'a rencontré par hasard à La Paz.

— Et Slater savait que la police française recherchait Dunter et qu'il serait extradé par le Mexique à la première demande de la France », compléta Alfred Hitchcock.

Il attaqua un deuxième caramel.

« Slater devait se sentir tout-puissant. Il pensait pouvoir forcer Dunter à recommencer à fabriquer de la fausse monnaie. »

L'écrivain mâchonna en silence pendant quelques instants.

« Mais comment avez-vous deviné que ces billets étaient faux, Babal ?

— Surtout à cause du pli sous l'œil de Dunter, répondit Hannibal. Je repassais dans ma tête les métiers où l'on a besoin d'une loupe, et je me suis dit qu'il n'y avait pas que les joailliers : il y avait aussi les graveurs.

— Bien raisonné, Babal, fit Alfred Hitchcock avec un sourire. Dunter a dû être fou de joie lorsqu'il a appris que le bateau avait coulé, et que toutes les preuves contre lui avaient disparu du même coup. C'est ce que vous vous êtes dit, Babal ?

— Plus ou moins, répondit le détective en chef en faisant un effort infructueux pour prendre l'air modeste. Je me demandais pourquoi Slater tenait tant à récupérer cette boîte, et pourquoi quelqu'un d'autre essayait de toutes ses forces de l'en empêcher. »

Il se pinça la lèvre.

« Et puis j'ai pris conscience que c'était le faussaire qui courait le plus de risques. Parce que faire des faux, c'est un peu comme peindre. Un graveur de première classe ne peut pas s'empêcher d'avoir un style. Un style, qui équivaut à une signature. »

Hannibal accepta un autre bonbon que lui offrait M. Hitchcock.

« Aussitôt que ces billets apparaîtraient dans les banques, poursuivit-il, les experts du Trésor reconnaîtraient le style de Paul Dunter. Ils se mettraient à ses trousses, de même que les Français. Et un jour ou l'autre, ils ne manqueraient pas de le retrouver à La Paz. »

On entendit un bruit de hachoir provenant de la cuisine. Alfred Hitchcock cacha précipitamment le sac de bonbons dans sa poche.

« Donc, vous vous êtes dit que c'était Dunter qui ne voulait pas que la boîte fût retrouvée ?

— Pendant très longtemps — cette fois-ci Hannibal avait pris l'air modeste avec plus de naturel — j'ai été égaré par mon hypothèse des trois suspects : Slater, Dunter et le client qui nous avait proposé cent dollars pour remettre Fluke à la mer. »

Hannibal eut un regard pour Bob.

« Ce n'est que quand Bob a arraché le masque de l'homme sans visage que j'ai compris que le suspect numéro 2 et le suspect numéro 3 étaient la même personne.

— Vous pensez donc que, quand Dunter vous a téléphoné pour vous proposer cette récompense, il a pris exprès la voix traînante de Slater, pour que vous pensiez que c'était Slater qui vous appelait ?

— Non, je ne le pense pas, monsieur, répondit Hannibal en secouant la tête. Il essayait simplement de déguiser sa voix. C'est comme les acteurs... »

Hannibal savait de quoi il parlait. Plus jeune, il avait été acteur lui-même, mais il n'aimait guère se rappeler cette période de sa vie. Son pseudonyme, à l'époque, était Baby Gros Plein de Soupe.

« ... Comme les acteurs à qui on demande de changer de voix, reprit-il. Le plus facile pour eux, c'est d'imiter celle de quelqu'un d'autre, ou son accent. Paul Dunter, qui avait beaucoup vécu en Europe, parlait d'une manière très particulière. Le mieux, pour lui, c'était de choisir une autre manière aussi particulière. Il a adopté l'accent sudiste de Slater. »

Alfred Hitchcock porta la main à la poche qui contenait les bonbons, mais se retint.

« Mais comment Dunter a-t-il découvert qui vous étiez ? A San Pedro, quand il s'est fait passer pour le capitaine Carmel, il savait déjà que vous étiez les Trois jeunes détectives, n'est-ce pas ?

— Dunter, expliqua Hannibal, était à bord de la vedette de Slater le jour où nous avons sauvé la baleine. A ce moment-là, il faisait encore semblant de travailler la main dans la main avec Slater, qui lui a exposé ses projets : emballer la baleine, la donner à Constance et la lui faire dresser pour retrouver l'épave. Alors Dunter a décidé d'aller lui-même à la *Féerie de la Mer* le lendemain. Il cherchait simplement un moyen d'empêcher Slater de parvenir à ses fins.

Il nous y a vus. Il nous a reconnus pour nous avoir déjà aperçus sur la plage. Il nous a vus entrer dans le bureau de Constance. Après notre départ et le sien, il a trouvé notre carte sur le bureau. Alors, il nous a téléphoné pour nous offrir cette récompense, si nous arrivions à remettre Fluke dans la mer. De cette manière, il serait sûr que Slater n'utiliserait pas Fluke pour retrouver l'épave. »

Alfred Hitchcock réfléchit un instant. Puis il inclina la tête.

« Mais pourquoi Dunter est-il allé dans le bureau de Diego Carmel à San Pedro ? demanda-t-il. Je comprends bien que, pour un homme de sa compétence, faire une fausse clef ne devait guère présenter de difficulté. Mais pourquoi cette perquisition ? Que cherchait-il ?

— Je pense qu'il voulait inspecter le matériel de plongée de Constance, dit Hannibal. L'idée devait déjà lui être venue de saboter les réservoirs d'air, de manière à l'empêcher de plonger. Plus tard, quand Constance a décidé d'utiliser le matériel de plongée de la *Féerie de la Mer*, Dunter a dû monter à bord de la vedette de Slater pour vider l'une des bouteilles d'oxygène et coincer la jauge de pression.

— Bon. Alors une fois que vous avez compris que le... comment l'appelez-vous dans vos notes, Bob ?

— "Le géant sans visage", répondit Bob. Seulement, bien sûr, ce n'était pas un géant. Simplement un échalas bien rembourré.

— Une fois que vous avez compris que le géant sans visage et Paul Dunter étaient une seule et même personne, le puzzle a commencé à s'orga... »

Dong venait de faire son entrée. Il apportait un grand bol de bois qu'il déposa fièrement sur la table devant Alfred Hitchcock et les Trois jeunes détectives.

« Déjeuner, annonça-t-il. Nourriture très bonne. Tout naturel. Sans chimie. »

Peter regarda dans le bol. On aurait dit une salade. Il y avait un peu de laitue et des tranches de concombre. Mais la plus grande partie consistait en petits tronçons roses d'origine indéterminée.

« Qu'est-ce que c'est ? demanda-t-il. Ces machins roses, c'est quoi ?

— Poisson, répondit Dong. Poisson cru.

— Cru ? répéta Peter en essayant de cacher la panique qui s'emparait de lui. Vous voulez dire qu'il n'est pas... cuit ?

— Cuisson très mauvais, expliqua le Vietnamien. Très malsain. Détruit toutes les vitamines naturelles.

— Mais le riz brun, vous le faisiez cuire ! protesta Peter. Le gourou de la télévision...

— Gourou de la télévision mauvais gourou. »

Don secouait tristement la tête.

« Programme mauvais gourou supprimé. Maintenant nouveau gourou. Beaucoup mieux. Surtout pour cuisiniers. Gourou dit cuisiniers pas devoir cuisiner. Mais vous devoir manger, s'il vous plaît.

— Mais nous n'avons pas d'assiettes ! objecta Bob. Ni assiettes, ni couteaux, ni fourchettes, ni rien du tout.

— Vous manger avec vos doigts. Mettre doigts dans bol. Nouveau gourou dire beaucoup mieux mettre doigts dans bouche. Instrument métal pas naturel. Assiettes non plus. Faïence pas naturelle non plus. Vous manger dans bol en bois. Très sain. Beaucoup mieux.

— C'est surtout beaucoup mieux pour le lave-vaisselle, remarqua M. Hitchcock. Nouveau gourou dire lave-vaisselle pas devoir laver vaisselle. »

Et, comme le Vietnamien se retirait, il soupira.

« Allons-y, dit-il. Servons-nous de nos doigts. Ce concombre a l'air sympathique. Et nous aurons des caramels pour le dessert. »

Pendant que les Trois jeunes détectives plongeaient les doigts dans le bol et se mettaient à grignoter laitue et concombre, Alfred Hitchcock leur demanda comment se portait le père de Constance et comment la jeune fille allait payer la note de l'hôpital.

« Le capitaine va bien, répondit Bob. Il n'est plus en danger, et il va quitter l'hôpital la semaine prochaine. Vous savez, pour la fausse monnaie, il n'était au courant de rien. Pour lui, tout se limitait à la contrebande.

— Pour la note, ça s'arrange aussi, dit Hannibal. Le Trésor va donner une récompense à Constance pour avoir récupéré tous ces faux billets, ce qui a permis d'arrêter Slater et Dunter.

— Et Slater doit toujours de l'argent aux Carmel, ajouta Bob. Après tout, il les a bien vendues, ses calculettes, et il a été payé... »

Il s'interrompit et regarda Peter d'un air accusateur.

« Tu en manges ! s'écria-t-il. Tu manges du poisson cru !

— Eh bien quoi, j'ai faim ! se défendit Peter. D'ailleurs, ce n'est pas si mauvais que ça. Ce n'est même pas mal du tout, une fois qu'on est habitué. »

Il avala un autre morceau de poisson.

« D'ailleurs, dit-il, ça doit faire du bien au cerveau. Regarde Fluke. Elle ne mange jamais autre chose que du poisson cru. Et on peut dire qu'elle a oublié d'être bête. »

Alfred Hitchcock reconnut que l'argument se tenait. Quant à lui, il en resterait au concombre et à la laitue.

« A propos de Fluke, comment va-t-elle? demanda-t-il.

— Très bien, répondit Hannibal. Au début, elle était triste. Elle passait tout son temps dans la crique. Constance se demandait si elle pourrait jamais se réhabituer à l'océan.

— Et maintenant, elle s'y est réhabituée?

— En fait, Constance a fini par comprendre que c'était elle qui manquait à Fluke. Alors elle l'a emmenée à la *Féerie de la Mer*, où Fluke paraît très heureuse. Et nous, nous avons des billets de faveur. Nous pouvons aller lui dire bonjour quand nous voulons. »

Le Vietnamien venait d'entrer à nouveau, et le détective en chef se tourna vers lui.

« Je crois que nous avons terminé, lui dit-il. Mais si vous pouviez mettre les restes dans un sac, je crois que le poisson cru ferait grand plaisir à Fluke. »

Table

IMPRIMÉ EN FRANCE PAR BRODARD ET TAUPIN
Usine de La Flèche, 72200.
Loi n° 49-956 du 16 juillet 1949 sur les publications destinées à la jeunesse.
Dépôt : mars 1989.